10の「感染症」からよむ世界史

脇村孝平＝監修
造事務所＝編著

nbb
日経ビジネス人文庫

はじめに

　現在、新型コロナウイルス感染症（COVID《コビット》－19）によるパンデミック（世界的流行）に遭遇して、感染症がこれほど〝厄介者〟であったのかという思いにとらわれている人は少なくないでしょう。20世紀以降の医学の著しい発展によって、感染症の脅威はしだいに後景に退き、私たちの日々の「暮らし」の中でそれほど意識せずに済ますことができてきたからです。確かに、2003年のSARS（重症急性呼吸器症候群）の流行が取りざたされたとき、また2009年に新型インフルエンザの本格的なパンデミック化が懸念されたとき、黒い影が私たちを一瞬覆いましたが、すぐに消え去りました。しかし、今度ばかりは違っています。

　人類もまた地球上の一つの生命（life）に過ぎず、種々の生命との共存なしでは存在を許されない、という事実を私たちは思い知らされました。ウイルスが生命であるのか否かは措《お》くとしても、多くの感染症の病原体が生命であることは疑いありません。したがって、人類と「自然」との関係、この場合、感染症をもたらす生命体との関係を改めて強く意識せざるをえません。言うまでもなく、医学や生物学などの自然科学が、その関係を問う最前線に位置していることは確かでしょう。しかしながら、人文社会科学に何かできることはないのでしょうか。本書は、このような思いからつづられたある種のハンドブックです。とくに、歴史の中に人類にとっての感染症という経験を探っています。

英語圏では、「生命（life）」という用語は、人々の「暮らし（life）」をも意味する言葉でもあります。人類は、「自然」との関係性を持つ中で、じつは人間相互の関係性、すなわち「社会」を構築しつつ生きています。感染症の流行は、まさに医学的・生物学的現象であるにとどまらず、社会的現象として、人々の「暮らし」の真っただ中で起こる現象にほかならないことは、本書の中で語られる数々のエピソードが明らかにしてくれます。

本書がハイライトする10の感染症は、いくつかのタイプに分けることができます。第一は、ペスト、インフルエンザ、コレラ、天然痘《てんねんとう》といった世界史的な意味での攪乱《かくらん》要因、あるいは転換要因になった、文字通りパンデミックとして発現した感染症です。これらのうち、多くは世界史の〝転轍機《てんてつき》〟の役割を担ったといっても良いでしょう。ただし、スペイン風邪（インフルエンザ）のように多大な人的被害（約5000万人の死者）をもたらしたわりには、のちにほぼ忘却されてしまった事例もあります。第二は、一時に爆発的に起こる疫病（epidemic）ではないけれども、結核や梅毒《ばいどく》のようにじわりと社会の中に定着しつつ執拗《しつよう》にはびこる、いわば風土病（endemic）と化した感染症です。かかる感染症は、ある時代を特徴づける消し去りがたい刻印を残しています。第三は、かつて温帯でも存在感がありましたが、主に熱帯地域の人々の「暮らし」を左右してきたマラリアや黄熱《おうねつ》といった熱帯感染症です。とくに、マラリアは、今日においてもアフリカでは、グローバルヘルス（国際保健）にとっての難題として残っています。そのほかにも、かつての戦争や、今日の難民キャンプやスラム地域のような極限状況で跋扈《ばっこ》する赤痢《せきり》やチフスといった感染症も取りあげています。

いささか手垢《てあか》がついた表現ですが、「メメント・モリ（死を忘るなかれ）」というラテン語起源の言葉があります。私たちが現在その渦中にいる感染症の経験は、つまるところ私たちの「死生観」を問うているのだと思います。本書によって、感染症の歴史を知っていただくことは、功利的な意味のみならず、微妙な均衡の中で生きている私たちの実存を顧《かえり》みる契機にもなるのではないかと思うしだいです。

大阪経済法科大学経済学部教授　脇村孝平

目次

Contents

編集・構成・ＤＴＰ／造事務所
文／佐藤賢二、大河内賢

〈part1〉

人類と感染症

人類は疫病との関わりとともに、歴史を歩んできた。野生動物の家畜化、都市での集住、さらに商業、交易、戦争といった人間の活動が、結果的に数々の感染症を世界に広げることになった。

感染症を引き起こす病原体の正体は何か、病原体はいかにして人間の生活空間に侵入し、人々に伝染していくのか。そして、人類はどのようにそれらと戦う方法を見出したのだろうか。

感染症はつねに変化し続けている

２０２０年より猛威を振るった新型コロナウイルス（ＣＯＶＩＤ－19）など、伝染性の病気は、「感染症」と呼ばれます。感染症とは、病原体となる微生物が体内に侵入することによって発生する病気で、人から人へ伝染するものと、そうでないものがあります。すべての病気が感染症ではなく、たとえばビタミンの欠乏から起こる脚気《かっけ》、白血球の異常な増加によって起こる白血病などは感染症とは呼ばれません。

日本の「感染症法」では、危険度が高い順に主要な感染症を一類から五類に分類しており、本書で取りあげている感染症の多くもここに含まれています。

たとえば、一類にはペスト、痘《とう》そう（天然痘）、二類には結核、三類にはコレラ、腸チフス、細菌性赤痢といった感染症が含まれます。一～三類の疾患に対しては、患者だけでなく無症状感染者にも、入院や就業制限といった措置が取られます。

四類には黄熱、マラリア、狂犬病、五類には梅毒、アメーバ赤痢ほかが含まれます。四類の疾患に対しては感染を媒介する生物の輸入規制、消毒などの措置が、五類の疾患に対しては発生動向の情報収集などの措置が取られます。

さらに、一～三類に含まれていませんが、一～三類に準じた対応を必要とするものを、1年間を期限として「指定感染症」と定めています。危険性が恒常的とされたものは、指定感染症から正式に一～三類に入れられます。2020年1月には、新型コロナウイルスが、新たに指定感染症とされました。

このほか、人から人に伝染し、すでに知られている感染性の疾病とは症状や有効な治療法などが異なり、蔓延すれば国民の生命および健康に重大な影響を与える恐れがあると認められるものは、「新感染症」とされます。

これらの分類は固定的なものではなく、感染症法は改正がくり返されており、新たな感染症が加わったり、危険度が変化する可能性を持っています。

細菌とウイルスはどう違うのか

感染症を引き起こす主要な病原体には、「細菌」「真菌」「寄生虫」「ウイルス」の4種類があります。これらは、人体に侵入すると体内のエネルギーを奪いながら増殖し、

日本における感染症の分類

類型	感染症	定義
一類	ペスト、痘そう（天然痘）、エボラ出血熱、ラッサ熱 ほか	感染力や罹患した場合の重篤性などにもとづく総合的な観点から見た危険性が極めて高い感染症
二類	ポリオ、結核、ジフテリア、鳥インフルエンザ（H5N1、H7N9）ほか	感染力や罹患した場合の重篤性などにもとづく総合的な観点から見た危険性が高い感染症
三類	コレラ、腸チフス、パラチフス、細菌性赤痢 ほか	感染力や罹患した場合の重篤性などにもとづく総合的な観点から見た危険性は高くないものの、特定の職業に就業することにより、感染症の集団発生を起こしうる感染症
四類	A型肝炎、黄熱、マラリア、狂犬病、発疹チフス、デング熱、鳥インフルエンザ（鳥インフルエンザ（H5N1、H7N9）を除く）ほか	人から人への感染はほとんどないが、動物や飲食物などを介して人に感染し、国民の健康に影響を与えるおそれのある感染症
五類	インフルエンザ（鳥インフルエンザ及び新型インフルエンザ等を除く）、梅毒、アメーバ赤痢、破傷風 ほか	国が感染症発生動向調査を行い、その結果にもとづき必要な情報を国民や医療関係者などに提供・公開していくことによって発生・拡大を防止すべき感染症
指定感染症	新型コロナウイルス（COVID-19）	一～三類及び新型インフルエンザ等の感染症に分類されない既知の感染症の中で、一～三類に準じた対応の必要が生じた感染症
新感染症		人から人に伝播すると認められる感染症で、既知の感染症と症状などが明らかに異なり、その伝播力及び罹患した場合の重篤度から判断した危険性が極めて高い感染症

※厚生労働省健康局の資料等をもとに作成

宿主となる人体に発熱や衰弱などさまざまな症状をもたらします。

細菌は、バクテリア、あるいは原核生物とも呼ばれる単細胞生物です。人間をはじめ、多くの生物の細胞は、呼吸やエネルギー生成を行うミトコンドリアがあり、細胞内で遺伝情報を担う部位である「核」の周囲に核膜と呼ばれる外壁を持っています。これに対し、細菌はミトコンドリアも核膜もない単純な構造です。細菌による感染症は、ペスト、コレラ、チフス、結核ほか多岐にわたります。

真菌は、カビやキノコと同じく菌類の一種で、単細胞のものと多細胞のものがあります。細菌より構造は複雑で、細胞内に核膜やミトコンドリアが存在します。真菌による感染症には、発疹《ほっしん》や腹痛を起こすカンジダ症、気管支炎や脳梗塞の原因となるムコール症などがあります。

寄生虫は、人や動物の体内で生活する生物で、多細胞の大型のものが多いですが、単細胞のものは原虫と呼ばれます。サイズは種類によって多様で、真菌よりさらに大型です。原虫の代表的なものがマラリア原虫で、多細胞のものには回虫、線虫などがあります。感染症を起こす寄生虫として、かつて山梨県や九州の一部では、肝機能障害や意識障害をもたらす日本住血吸虫が猛威を振るいましたが、現在ではほとんど駆

病原体の大きさの比較

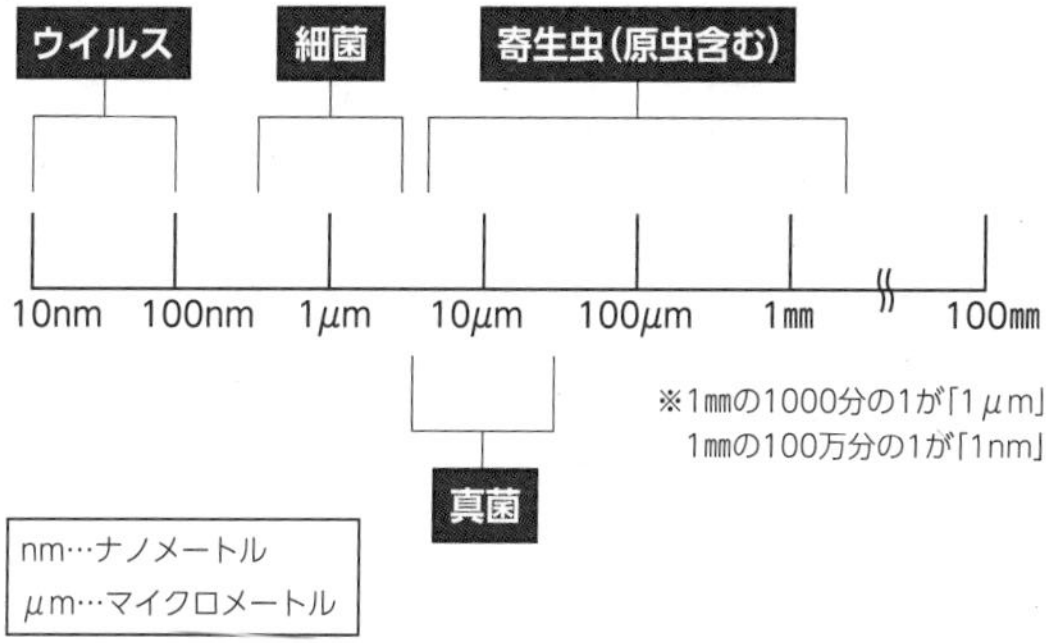

人が肉眼で見ることのできる大きさの限界は0.1〜0.2mm程度。

除されました。

ウイルスは細菌とは異なり、遺伝子を持っていますが、細胞構造がありません。サイズは非常に小さく、細菌の50分の1ほどです。菌類から人まであらゆる生物は、外界から栄養や酸素を取り入れて老廃物を排出する代謝を行い、細胞分裂によって増殖します。ところが、ウイルスは代謝をせず、細胞分裂も起こさず、宿主となる生物の栄養を奪って自分の複製を次々とつくり出します。つまり、ウイルスは一般的な生物とは異なり、「生物の一歩手前の存在」ともいえます。

細菌に有効な抗菌剤、抗生物質の多くは、細菌の細胞を破壊したり増殖を阻害するものですが、細胞構造を持たず細胞分裂をしないウイルスには無効で、ウイルスに対応して開発された抗ウイルス剤でなければ効果がありません。ウイルス性の感染症にはインフルエンザ、エイズなどがあります。

感染症はいかにして広がるか

感染症の感染経路は、まず「垂直感染」と「水平感染」に大別されます。垂直感染とは、妊娠中あるいは出産時に母親から新生児に病原体がうつるもので、母子感染ともいいます。垂直感染する疫病には風疹《ふうしん》、梅毒《ばいどく》、B型肝炎などがあります。

水平感染とは、垂直感染以外の人から人へ、あるいは動物から人へ、病原体が付着した物体から人への感染などを総称したものです。さらに、水平感染は「接触感染」「飛沫《ひまつ》感染」「空気感染」「媒介物感染」の4種類に分類されます。

接触感染は、すでに病原体が体内にいる人間や動物などに直に触れることによって起こるため、直接感染ともいいます。結核やインフルエンザ、性病の梅毒や淋病は接触感染によって広がります。感染力は細菌やウイルスの種類によって大きく異なり、

主な感染経路

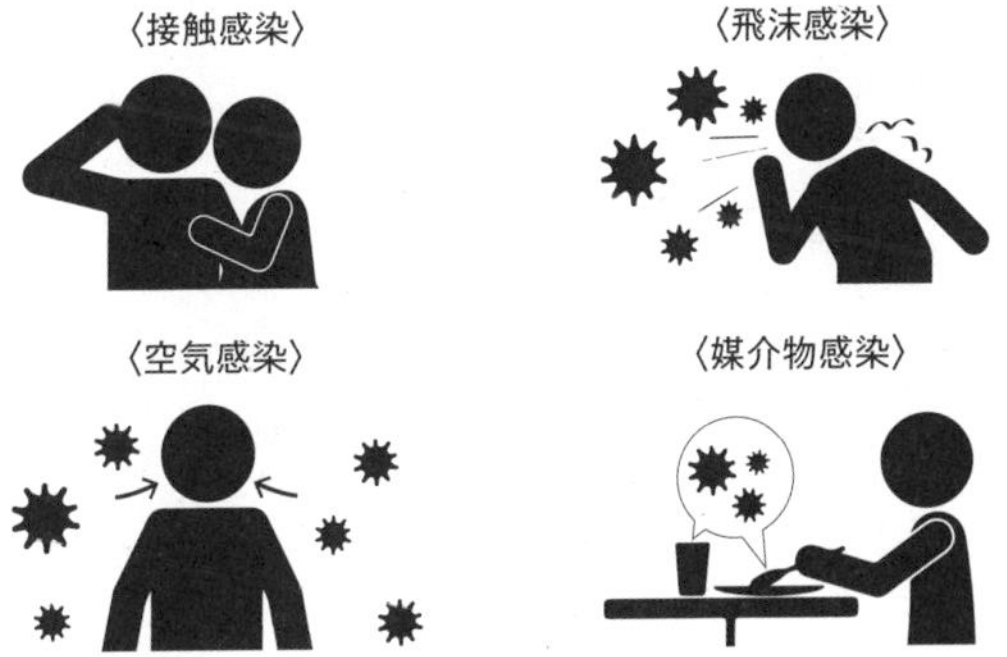

たとえ人が近くにいなくとも、感染する危険性がひそんでいる。

手洗いやうがいによる予防効果が大きい場合もあります。

飛沫感染は、咳《せき》やくしゃみによって感染者の体外に出た10マイクロメートルほどの水滴（飛沫）を吸い込むことによって感染することです。マスクを着用したり人前で咳をするのを控えることで、飛沫感染の発生をある程度は防止できます。

空気感染とは、空気中に漂う病原体を口や鼻から吸い込んだり、傷口に触れたりすることで感染することです。飛沫感染も含みますが、空気中のちりやほこりに病原体や飛沫が乾燥したものが付着していることも少なくありません。

媒介物感染は、たとえば衣服や寝具ほか

病原体が付着した物体に触れたり、病原体が入り込んだ水や食物を口にしたり、感染を媒介する小動物や昆虫（ネズミ、ノミ、蚊ほか）との接触によって感染することです。ノミやシラミが媒介する感染症にはペストやチフス、蚊が媒介する感染症には日本脳炎やマラリアなど多数あります。

さまざまな感染経路を経て、感染症が通常の発生率を超えて爆発的に広がることを「アウトブレイク」といいます。日本の厚生労働省では、アウトブレイクの定義を「一定期間内に同一病棟や同一医療機関といった一定の場所で発生した院内感染の集積が通常よりも高い状態のことであること」としています。院内感染とは、病院内で感染者から別の患者、医療関係者に感染が広がることで、医療機関の機能停止を招くことになります。

また、一定の地域内で、一定レベルの罹患率で感染症の流行がくり返し起こることを「エンデミック」といいます。この延長上に、一定の地域内で通常の予測を超えて感染者が大量に発生する状態を「エピデミック」といいます。

エピデミックが全国的・世界的レベルにまで拡大したものが「パンデミック」です。歴史上では、14世紀に発生したペストの大流行や、1918年に発生したスペイン風邪（インフルエンザ）の大流行がその代表例です。2009年にH1N1型インフルエンザが世界的に大流行したとき、世界保健機関（WHO）はウイルスの広がりを段階的に区分し、フェーズ1から2は人への感染が観測されていない段階、フェーズ3から5は人間への感染が観測され、さらにそれが拡大している段階、フェーズ6はパンデミックが起こった状態としています。

食料生産と経済活動が感染症を広めた

人類史上、人の数が増え、活動範囲が広がるとともに感染症の発生地域や流行頻度も拡大してきました。先史時代の人類は、数家族が集まった程度の小規模な集団で、食料を求めて移動しながら狩猟採集生活を送っていました。人の数が少なく、1カ所に集住しなければ、人から人への感染は広がりにくかったでしょう。

しかし、約1万年前に西アジアにおいて農耕と牧畜が始まると、恒常的な食料の確保と備蓄が可能になり、急速に人口が増加します。人類の祖先がアフリカ大陸から世界各地に散らばり始めた7万～5万年前の総人口は数十万人と推定されていますが、約1万年前には500万人に達し、農耕と牧畜が大部分の地域に広がった紀元前5000年ごろには、1億人にまで増えたと考えられています。

農耕と牧畜による食料生産を始めて以降、人類は一定の地域に集住し、多人数で効率的に農作業や家畜の管理を行うようになりました。この集住と、家畜との継続的な接触が、感染症の蔓延しやすい環境をつくり出すことになります。

人と動物のいずれにも感染する疫病は「人獣共通感染症」と呼ばれ、一説によれば、人の感染症の約70％は動物に由来するともいわれます。天然痘、結核、麻疹《はしか》は、いずれも牛の感染症に由来すると考えられています。インフルエンザは鶏などの家禽《かきん》や豚から人に感染し、1918年に世界的に大流行したスペイン風邪は、2009年に大流行したH1N1型と呼ばれる鳥インフルエンザの変種です。百日咳は豚と犬、マラリアは家禽、黄熱はサルから人に感染したと推定されています。

文明が進歩して食料生産力が向上すると、余剰生産物を遠隔地に売り込んだり、農具や日用品の材料となる金属の鉱石、香料や茶ほかの嗜好品といった、自分たちの生活圏で確保できない物資を遠く離れた地域から入手したり、場合によっては他地域に大量の人員を送り込んで武力で征服したりするようになります。人類のこうした活動、すなわち貿易と戦争も、感染症が広まる大きな一因となりました。

ある地域で蔓延していた感染症が、商業活動の拡大や戦争によって他地域に伝播《でんぱ》した事例は少なくありません。古代ローマでは紀元前3世紀から紀元前2世紀のポエニ戦争によって、気候が異なる熱帯の北アフリカからマラリアが広がり、14世紀にはユーラシア大陸の大部分を征服したモンゴル帝国によるシルクロード貿易が、結果的にペストの世界的な大流行を招きました。

長らく信じられていた「瘴気《しょうき》説」

次々と発生する感染症に、人類はいかに対処してきたのでしょうか。古代における世界の多くの地域では、悪霊や呪いが疫病を引き起こしていると考えられていたので、初期の医師は呪術師や聖職者が兼任していました。ところが、時代が進むにつれて、経験則によって、症状の分類や有効な薬物、養生法の知識が整理されていきます。

古代ギリシアでは、紀元前4世紀に「医聖」とされるヒポクラテスが、多数の臨床例の観察と分析にもとづいた西洋医学の基礎を確立しました。東洋では、2世紀ごろの中国において薬学書の『神農本草経《しんのうほんぞうきょう》』が成立しています。

病気の治療法には、発熱や頭痛といった症状を軽減させる「対症療法」と、体内の病原菌を死滅させるなど病因を根本的に取り除く「原因療法」があります。

中世に入ると、しだいに職業としての医師が成立し、治療にあたりますが、病原菌が感染症を起こしているという事実が理解されていなかったので、解熱剤の投与や栄養をつけて体力を回復させるなどの対症療法が基本でした。現代においては効果が否定されている誤った治療法も多く、たとえば西洋では、患者の身体から血を抜いて病毒を取り除く「瀉血《しゃけつ》」が、19世紀まで有効な治療法と考えられていました。そもそも、感染を予防するワクチンや病原菌の活動を阻害する抗生物質を用いた治療法が確立されるのは、近代に入って以降のことなのです。

ただし、根本的な治療はできなくとも、感染の拡大を防ぐために患者を隔離することは古代から行われていました。現代では感染症の蔓延を防ぐため、2020年の新型コロナウイルス流行下のように国内外で人の移動を制限したり、外国から入ってくる人や荷物を、空港や港で留め置いて検査する「検疫」が徹底されています。こうした検疫の制度も、病原体という概念がなかった時代から存在しました。

11〜13世紀のヨーロッパで展開されていた十字軍運動を契機に、中東や北アフリカなどの地域との間で人の移動が増えるとともに、たびたびペストやハンセン病などの感染症が流入するようになります。このため、地中海貿易の重要な拠点となっていたヴェネツィア共和国では12世紀ごろから、東方から来た人や商品を街の沖合の島に一定期間留め置き、安全を確認してから上陸させるようにしました。

古代から多くの医師が感染症の発生原因を考えてきましたが、近代以前の西洋医学では「瘴気説」が有力視されていました。湿地などに漂っている悪い空気や、霧状の毒性の物質（瘴気）を吸い込むことによって疫病が発生するという考え方です。瘴気はギリシア語でミアズマ（miasma）と呼ばれました。19世紀前半までのイギリスでは、感染症の流行が起こると、大気中の瘴気を除去するために屋外で大量に火を焚《た》いたり、空に大砲を撃つといった方法が試みられていました。

これに対し、16世紀のイタリア半島北部ヴェローナ出身の医師フラカストロは、感染症は、人の目に見えない未知の生物（コンタギオン）が患者と接触した人物に病気を伝染させているという、「コンタギオン説」を主張します。病原菌の概念の先駆といえるでしょう。紀元前1世紀の古代ローマの学者ヴァロも同様の説を唱えていました。とはいえ、当時の科学技術では病原体となる微生物の存在を確定することはできず、細菌学の成立は19世紀まで待たねばなりませんでした。

カイコの研究から始まった細菌学

16世紀末にネーデルラント（現在のオランダ）で顕微鏡が発明されます。初期の顕微鏡は倍率が低かったものの、改良が重ねられるにつれて生物学や医学の研究に利用されるようになります。そして1674年、ネーデルラントの生物学者アントニ・ファン・レーウェンフックが微生物の存在を立証しました。もっとも当時の医学界においては、感染症の原因の解釈は依然として瘴気説が有力で、微生物と感染症の関係が解明されるまでまだ200年近い時間がかかることになります。

19世紀のはじめ、ローディー（現在のイタリア北部）出身の生物学者アゴスティーノ・バッシーは、昆虫のカイコが感染する斑点《はんてん》病を25年間にわたって研究して、斑点病が細菌によって起こることをつきとめ、人の感染症も細菌が原因だという説を唱えます。

1850年代にはフランスの化学者ルイ・パスツールが、アルコールの精製その他、発酵と腐敗が微生物の働きによって起こることを証明し、微生物学の基礎を打ち立てました。パスツールは、細菌などの微生物が生存して増殖する条件や、殺菌・感染予防の方法も解明し、鶏コレラ菌、狂犬病ウイルスを発見します。

さらに、ドイツの細菌学者ロベルト・コッホは、1876年に人獣共通感染症の炭《たん》疽《そ》を引き起こす炭疽菌、続いてコレラ菌、結核菌といった細菌を発見します。そして特定の細菌がある疫病の病原体であることを決定する条件となる「コッホの4原則」を確立しました。その内容は以下のとおりです。

① ある症状を示す感染者からつねに同じ菌が検出される。
② 感染者からその菌を分離して培養できる。
③ 分離した菌をほかの動物に接種すると同じ症状を示す。
④ 人為的に感染させた対象からもその菌を分離して培養できる。

パスツールとコッホによって近代的な細菌学が確立される以前から、疫病に一度感染した人が再び感染しにくくなる、あるいは感染しても軽症にとどまること、すなわち免疫の概念は世界各地で広く知られていました。19世紀後半以降、コッホの4原則にもとづいてさまざまな感染症の病原体が次々と特定されるようになると、ワクチンを用いた免疫療法の研究も急速に進展していきます。一連の功績により、コッホは1905年にノーベル生理学・医学賞を受賞しました。

とはいえ、医学界の一部ではコッホの思惑を超えた弊害も起こりました。たとえば明治期の日本では、ビタミンの欠乏によって起こる脚気も脚気菌が存在するはずだと誤解された結果、正しい対策が遅れます。

細菌学が広まる以前の医学界では瘴気説が主流だったように、ある時代に支配的な学説がすべての事例に当てはめられがちですが、多様な見方をしなければ解明できない事態もあるのです。

消毒の重要性が戦場で判明

細菌学の発展とともに、感染症の予防に大きな効果をあげたのが、衛生環境の改善です。近代までのヨーロッパの都市は上下水道の整備も不十分で、入浴の習慣は定着していませんでしたが、18世紀後半のフランスの裕福な階層では家庭用のバスタブが普及していきます。また同時期、フランスの化学者ニコラ・ルブランは、1790年に炭酸ナトリウムを人工的に合成する方法を確立し、それまで高価だった石鹸の大量生産が可能になりました。

19世紀に入ると、感染症の予防と身体を清潔に保つことの関係が広く知られるようになっていきます。イギリスでも1830年代のコレラ大流行の時期、街中にシャワー施設が築かれ、家庭用のバスタブが急速に普及しました。

このころ、医療の現場では消毒や洗浄の重要性がいまだ認識されていませんでした。ハンガリー王国の医師イグナーツ・ゼンメルヴァイスは、1840年代に、病院で妊産婦が出産時に感染する産褥《さんじょく》熱の研究を行い、医師や助産師が清潔を保っている診療所では、そうでない診療所よりも産褥熱による妊産婦の死亡が大幅に少ないことを明らかにします。ゼンメルヴァイスは塩素を用いた消毒の実施で産褥熱の発生率を従来の10分の1以下にまで抑え、医師が手や医療機器の消毒・洗浄を徹底することを訴えましたが、当時の医学界には理解されませんでした。しかし、のちにパスツールとコッホによって細菌学が確立されると、その先見性は高く評価されます。

1853年、ロシア帝国とオスマン帝国の間でクリミア戦争が勃発し、ロシアと敵対するイギリスも出兵しました。戦場では、医薬品も食料も不十分な状況で、コレラや地中海熱（ブルセラ症）などの感染症が蔓延し、多くの兵士が戦闘よりも病によって次々と命を落とします。イギリス軍の従軍看護師として赴任したフローレンス・ナイチンゲールは、負傷兵のベッドのシーツを小まめに洗濯するなど、兵営を清潔に保つことによって、42％におよんでいた負傷兵の死亡率を3カ月後に5％まで下げました。ナイチンゲールは、清潔な環境がいかに傷病者の死亡率を下げるかを統計データで徹底的に論証し、公衆衛生の重要性を世に広めます。

同時期、イギリスの医師ジョン・スノウはロンドン市内各地でのコレラの発生状況を比較分析し、疫病の発生条件と予防法を研究する疫学の基礎を築きます。

抗生物質と免疫療法が世界に広がる

20世紀になると、化学や生物学の発展にともない、感染症の治療法も大きく前進します。1930年代には、サルファ剤ほか、細菌の増殖を阻害する化学療法剤が実用化され、赤痢や肺炎などの治療に効果をあげます。

1928年、イギリスの細菌学者アレクサンダー・フレミングは実験用のブドウ球菌の培養器で、偶然、アオカビが生えた部分ではブドウ球菌が死滅していることに気づき、アオカビから細菌の生命活動を阻害する抗生物質のペニシリンを抽出しました。それから12年後、ペニシリンが梅毒をはじめ、各種の感染症の治療にきわめて有効であることが立証されます。このときすでに第二次世界大戦が始まっており、フレミングはヨーロッパの戦火を逃れてアメリカに渡り、ペニシリンの大量生産を進めました。

続いて1944年には、土壌中に見られる放射菌から、結核菌や淋病を引き起こす淋菌ほかの活動を阻害するストレプトマイシンが抽出されました。戦後の1950年代には、猩紅熱《しょうこう》やジフテリアほかに有効なエリスロマイシン、腸チフスほかに有効なカナマイシンなど、新たな抗生物質が次々と発見されます。抗生物質とワクチンによる免疫療法は、現代における感染症対策の大きな柱といえるでしょう。

加えて、第二次世界大戦後は、医療の国際協力が大きく進展します。すでに民間レベルでは、第一次世界大戦後の1919年に、赤十字社連盟（現在は国際赤十字・赤新月社連盟）が発足しています。これは各国で平時、戦時を問わず、医療や災害救護

国連の主な組織

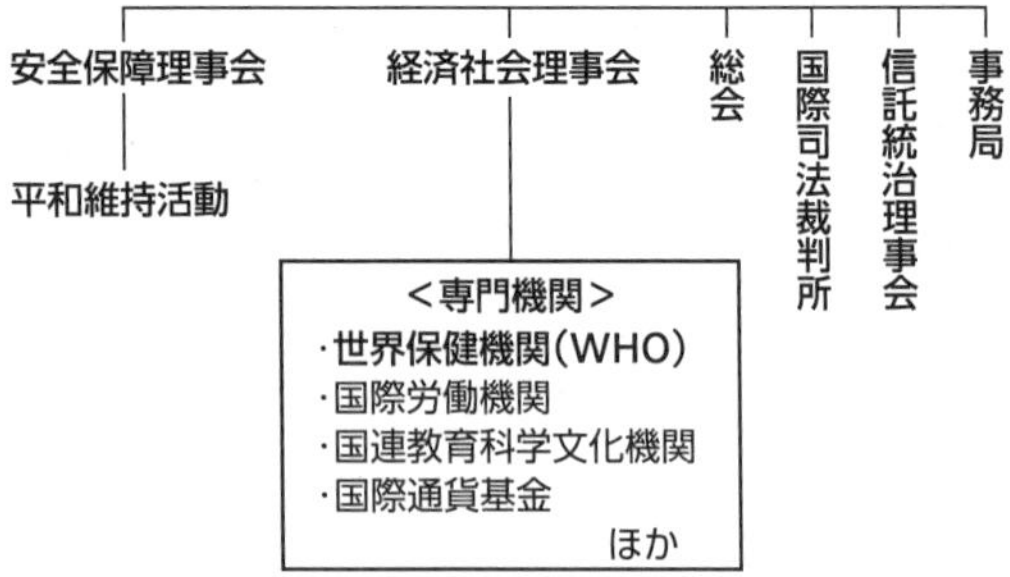

WHOは経済社会理事会の専門機関に属している。

に従事する人道団体の赤十字社が連合したものでした。

1948年には、世界各国の政府が参加する国際連合の専門機関として、WHOが発足します。WHOは、国際赤十字・赤新月社連盟と同じくスイスのジュネーブに本部を置き、国連加盟国から拠出される分担金によって運営され、「すべての人々が可能な最高の健康水準に到達すること」を目標に掲げています。

発足以来、世界各国でのワクチン接種や、感染症を媒介する害虫の駆除、途上国の衛生環境の向上や医薬品の供給、パンデミックが発生した場合の国際的な情報共有などを進めています。

病原体と共存してきた人類

感染症は細菌ほかの微生物によって引き起こされますが、人間の腸内には多数の菌がすみ、食物の消化吸収を助けるなど、人間にとって有用な微生物も少なくありません。パンづくりに使われるイースト菌（酵母）、納豆菌や乳酸菌、酒の醸造に使われるコウジカビなど、人類は古くから多くの微生物を利用してきました。

そもそも、人類を含めた多くの生物の進化の歩みは、細菌やウイルスとの絶えざる生存競争によるものだという解釈があります。21世紀に入り、人間の遺伝情報（ゲノム）の解析が進むと、その中にはウイルスの一種で、RNAによる遺伝情報の伝達を行うレトロウイルスに由来する遺伝子が多く含まれていることがわかってきました。人類の遠い先祖は、ウイルスをみずから体内に取り込んで遺伝情報の多様性を広げ、さまざまな環境に対応できる身体機能を築いてきたといえるのです。

1973年にアメリカの生物学者リー・ヴァン・ヴァーレンは、あらゆる生物種は、絶えず進化によって多様性を獲得し、環境の変化や天敵となる捕食者への対応を身につけなければ絶滅するという説を唱えました。これは「赤の女王仮説」と呼ばれます。19世紀後半にイギリスの作家ルイス・キャロルが執筆した小説『鏡の国のアリス』では、チェスの駒を率いる赤の女王が、「同じ場所に留まるためには、せいいっぱい駆けなくてはならない」と語っていたことに由来します。

実際、人類は古くから多くの感染症の脅威にさらされながらも、免疫を獲得してきました。一方、細菌やウイルスも、世代交代を重ねるうちに、人間がつくりだした殺菌剤や抗生物質に耐性を持つ種類が次々と現れています。細菌は短いものなら30分に一度のペースで細胞分裂するので、人類よりはるかに急速に世代交代が進むのです。1918年に大流行したスペイン風邪と同様のH1N1型と呼ばれる系統のインフルエンザは、何度も世界的に猛威を振るっています、これはウイルスが変異をくり返し、そのたび従来のワクチンや治療薬では十分に対応できなくなるからです。

とはいえ、病原体にとって宿主となる生物が死滅してしまえば、病原体自体も滅びることになってしまいます。このため、ペストや梅毒など多くの感染症では、爆発的な大流行のあと毒性がある程度まで低下する現象が見られます。人類と病原体は、果てることのない闘争を続けながら、共存してきたともいえるのです。

〈part2〉

人類史に影響を与えた10の感染症

ペスト
——plague——

「黒死病《こくし》」と呼ばれたペストは、古代から流行をくり返してきた。とりわけ14世紀には、アジアとヨーロッパを結びつけたモンゴル帝国の経済活動が、世界的なパンデミックを招く。

中世後期のヨーロッパは、ペストによってじつに総人口の4分の1以上を失う。だが、この急激な人口変動は単なる悲劇的な災厄に終わらず、数々の社会変革を生むことになる。

中世から近代への変革の一因

「ヨーロッパの近代は黒死病（ペスト）から始まった」といわれることがあります。その端的な一例として、出版文化の拡大をあげることができるでしょう。わたしたちは紙媒体である書籍（本）を通じて知識を得たりしています。この紙媒体の出版物の大量生産は、ドイツ人のヨハネス・グーテンベルクが活版印刷を利用して、１４５５年に聖書を刊行したことに始まります。

それまでのヨーロッパでは、多くの出版物は一冊ずつ手書きで書き写すか、活字を用いない木版印刷でした。ことに手書きの筆写は非常に時間がかかり、本をつくるのには膨大な人手を必要としていました。中世末期にあたる14～15世紀には、商業の発達したイタリアの諸都市を中心にルネサンス（文芸復興）と呼ばれる文化潮流が広まって文学や芸術が盛んになり、出版も活発化します。ところが、同時期には書物の筆写をはじめ、商業や工業のあらゆる分野で、人件費の高騰が進んでいました。

こうした状況下、可能な限り人手を使わずに書物を大量生産する方法が模索され、グーテンベルクが活版印刷を普及させたのです。中世ヨーロッパまでは、聖書をはじめ、古典文学や哲学、自然科学などの学術書はほぼラテン語で書かれており、ラテン語の教養を身につけていたカトリック教会の聖職者が知識を独占していました。しかし、16世紀の宗教改革とともに、活版印刷によってドイツ語や英語など各国語の聖書が広まり、カトリック教会の権威は衰え、自由に学問をする風潮が広がることになるのです。

ほかにも、14〜15世紀のヨーロッパでは、大量の漕《こ》ぎ手を必要としない大型帆船や、練度の低い兵士でも扱える銃器など、多くの発明が登場しました。これらが生まれた一因として、船乗りや軍隊でも人件費の高騰が起こっていた点があります。

同時期のヨーロッパに起こっていた大きな変化は、人件費の高騰にともなう新技術の導入と職人・商人や農民の地位の向上、カトリック教会の権威の後退と宗教改革の進展、身分や家柄によらず新しい技術や文化を探究する人材の台頭、という3点に要約できます。じつは、この3点ともペストが大きく関係しているのです。

それでは、いかにしてペストが中世から近代への変化をもたらすことになったのでしょうか。

「黒死病」と呼ばれたワケ

人類とペストとのかかわりは数千年前から存在していました。たとえば2018年にスウェーデンで発見された、約5000年前の新石器時代の人骨からペスト菌が検出されています。これが現時点でわかっている最古の感染例です。

多くの場合、ネズミなど齧歯《げっし》類の小動物からノミを介して人に感染し、感染者が増えると、人同士の接触による感染や空気感染が起こります。人類が農耕を始めて集団生活を送るようになるのと前後して、穀物を食べるネズミと接触する機会が増え、人へのペスト感染が起こったようです。人の近くに生息しているネズミの10％が感染すると、さらに人への感染が広がるといわれ、人のペストの流行に先立ち、ネズミの大量死が発生するのが通例です。

ペストの代表的な症例は、「腺《せん》ペスト」と呼ばれます。人の首や腹など各部位には、細菌やウイルスを捕らえて除去するリンパ腺（リンパ節）があり、これがペスト菌に侵《おか》される症例です。まず、ノミに刺された部位の周辺のリンパ腺が腫《は》れ、さらに腋下《えきか》

（脇の下）や足のつけ根の内側（鼠径部《そけい》）のリンパ腺が腫れて痛むようになります。症状が悪化するとリンパ腺はこぶし大にまで腫れ上がり、ペスト菌が内臓を侵して毒素が体内に広がっていきます。高熱や悪寒に見舞われるようになり、意識は混濁《こんだく》して、随意筋がまひして硬直し、心臓が衰弱していきます。

「肺ペスト」と呼ばれる症例もあります。腺ペストが悪化して肺が菌に侵されたり、ペスト菌の混じった空気を吸入したりして発病。気管支炎や肺炎を起こして血痰《けったん》を吐いたり、呼吸困難に陥ったりします。肺ペストの致死率は非常に高く、発症後は抗生物質の投与など適切な処置を取らなければ、半日から3日ほどで死に至ります。腺ペストでは人から人への感染は起こりませんが、肺ペストでは、感染者の身体から外に出た咳やくしゃみなどの飛沫を介して感染したり、空気中に漂う菌が体内に入り込み感染したりもします。

多くの病気では、病原菌が血液中に入り込んで全身に回った状態を「敗血症」といい、ペストが重症化すると「敗血症ペスト」となります。全身の血液がペスト菌に侵されると、皮ふに出血斑《しゅっけつはん》ができて全身が紫がかった黒い斑紋だらけになり、やがて死に至ります。ペストを黒死病（black death）と呼ぶのはこのためです。

『聖書』に残る大流行の記録

世界各地の文化圏で文字による記録がなされるようになって以降、ペストの流行と思われる記述がいくつも見受けられます。紀元前11～前10世紀ごろの古代イスラエル王国のできごとを記したとされる『旧約聖書』の「サムエル記　上」第5章では、ユダヤ教徒と敵対していたアシュドドの民が神の怒りにふれて病に侵されたとあり、「腫れ物が彼らの間に蔓延した」といった記述について、多くの研究者がペストだと見なしています。

ただし、古代の書物での病気の症状やどのように感染したかについての記述はあいまいな点が多く、それらが本当にペストだったとは断言できません。というのも、ペストを意味する英語の「plague」はラテン語の「pestis」に由来し、「悪疫」または「害虫」を意味します。したがって、ヨーロッパの古代の文献で見られるこの語句が指すのは、ペスト以外の伝染病を含む場合もあるからです。

紀元前431年、古代ギリシアのアテナイを中心とする都市国家連合のデロス同盟と、スパルタを中心とする都市国家連合のペロポネソス同盟との間で戦争が起こりました。古代ギリシアの覇権をかけたペロポネソス戦争です。

戦時中、アテナイ側は籠城策を取りました。そのことから、市民が密集したことで「アテナイのペスト」と呼ばれる病気が蔓延し、アテナイの政治的指導者であり戦闘を指揮したペリクレスも感染して病死します。ペロポネソス同盟にはあまり病気が広がらず、アテナイは不利な立場に追い込まれました。この病気はペストではなく、天然痘だったのではないかとも考えられています。

同じく古代ギリシアの医師であるエフェソスのルフォスは、紀元前3世紀、現在のエジプトからシリアにかけての地域でペストと思われる病気が蔓延していたと記録を残しています。ルフォスはこの病気の症状として、菌に侵された患部が炎症で腫れ上がる腫脹《しゅちょう》、急性の発熱、意識の混濁などをあげており、ペストの症例とかなり一致します。

ペストの発生源の一つは、天山山脈の北方のイシク・クル湖（キルギス共和国）周辺と推定されています。東アジアでは紀元前202年に漢朝（前漢）が成立すると、やがて、当時のヨーロッパを支配していたローマ帝国との間でシルクロード貿易が盛んになり、天山山脈の周辺地域を通過する貿易商人によって、ユーラシア大陸の東西にペスト菌が広まったと考えられます。

ローマ帝国でも2世紀のマルクス・アウレリウス帝の治世にペストが大流行し、約300万人が死んだと記録されています。ただし先に述べたように、古代のヨーロッパの文献ではペストという語句は悪疫全般を指していたため、ペストの流行とは明言できません。

ローマ文化を衰退させる

歴史上、ペストの世界的なパンデミックは3回確認されていて、それぞれ6世紀、14世紀、19世紀に発生しています。

6世紀の大流行は540年ごろ、エジプトのナイル川河口の東部から広がりました。この地域はアジア、ヨーロッパ、アフリカの3地域が接し、東方のアラビア半島と西方の東ローマ帝国（ビザンツ帝国）を結ぶ東西貿易の要衝にあたります。このためペストは、通商路を通じて東ローマ帝国から南欧諸国、西アジアのペルシアにまで

6世紀にペストが大流行した地域

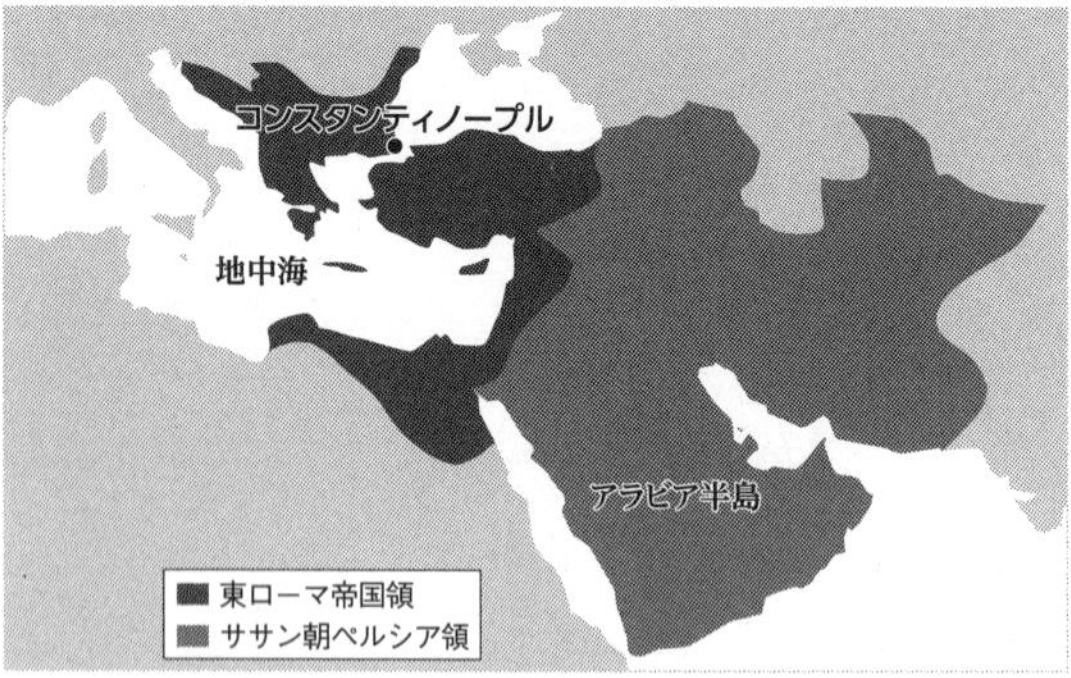

地中海一帯を支配していた東ローマ帝国を中心にペストが流行する。

拡大しました。

6世紀の正確な世界人口は不明ですが、一説によれば約2億人と推定され、その33〜40%が死亡したという説もあります。この6世紀のペストの流行期から約200年間にわたって、世界の人口はほぼ横ばいで、9世紀に入ってからようやく増加に転じたという推計もあるほどです。

東ローマ帝国の歴史家プロコピオスは、各地で起こっていたペストの流行の様子をくわしく記録しており、帝都コンスタンティノープル（現在のイスタンブール）では1日に5000人以上が死亡し、最終的に市民の4割が失われたともいわれます。

市民は衣食住に関わる作業の多くを奴隷に

頼っていましたが、奴隷を含めた市民が病に倒れていき、健康な人々も看護や死者の埋葬に追われたため、農業も製造業も物流もストップします。多くの人々は食料を得ることができなくなり、ペストそのものだけでなく、食料難によって餓死者が続出しました。

コンスタンティノープルの人口は5世紀には50万人に達していたといわれますが、ペストが沈静したあとも容易には回復しなかったようで、8世紀の人口は20万〜30万人と推定されています。

この6世紀のペストが大流行した際、帝位にあったのが東ローマ皇帝ユスティニアヌス1世だったことから、この大流行は「ユスティニアヌスのペスト」と呼ばれます。ユスティニアヌス帝も感染しましたが、一命を取りとめました。

ユスティニアヌス帝は同時期、遠征をくり返して旧西ローマ帝国の領土を一時的に回復します。ところが、地中海沿岸の諸都市の住民であり、ローマ帝国の文化を受け継いでいたローマ人の子孫の多くがペストによって命を落としました。代わって東方から流入してきたゴート族やフランク族といったゲルマン人が新たな住人となったことで、西欧におけるローマ文化の断絶が進みます。

十字軍運動で被害が拡大

その後も、各地で小規模なペストの流行が断続的に発生したものの、750年から11世紀まで、ヨーロッパでの大きな流行は途絶えます。理由は明確になっていませんが、この時期は西欧から東方への接触が比較的少なく、さらに人の生活圏に入り込み、ペストを媒介していたネズミが気候変動によって減少したためだともされます。

1096年に第1回十字軍運動が始まると、フランスをはじめとする西欧各国の騎士団が、イスラム教国であるセルジューク朝の支配下にあったキリスト教の聖地エルサレムを奪回しようと次々に侵攻しました。このときの帰還兵の荷物や衣服に、人家にすみつくクマネズミとペスト菌がまぎれ込んだことで、西欧でペストが流行するようになります。

十字軍運動は13世紀まで大規模なものだけで7回くり返され、小規模な巡礼者の集団などもたびたび西欧からエルサレムに向かいました。西欧のキリスト教国によるエルサレムの占領維持は失敗しますが、中東への軍事遠征や物資の輸送を仲介したヴェネツィア共和国などの商人は莫大な利益を上げ、13〜14世紀には西欧と東方を結ぶ地中海貿易が大いに発達することになります。

このころ、農村では三圃《さんぽ》制が普及し、農業生産力が向上していました。農地を3分割し、一つには春に種まきをして豆や大麦などを栽培し、もう一つは秋に種まきをして小麦やライ麦などを栽培し、残る一つは休耕地とする農法です。農業生産力の向上は人口の増加をもたらし、余剰人口は続々と都市部へ流入しました。

その都市では、ペストの媒介者となるネズミがしだいに増加します。それを象徴するのが、「ハーメルンの笛吹き男」です。ドイツ西部のハーメルン市でネズミが大量発生し、ネズミ駆除人が呼ばれたものの、町の住民は駆除人への報酬の支払いを渋ったため、駆除人は町の子どもたちを連れ去ったというお話です。

実際にハーメルン市では、1284年に130人の子どもが町からいなくなったという記録がありますが、その理由は明確に伝わっていません。中世ドイツ史の研究者である阿部謹也氏は、子どもたちが町からいなくなった事件の背景として、少年十字軍への参加、東欧への開拓移民などの説とともに、ペストの流行による市民、あるいは子どもの大量死の隠喩《いんゆ》という解釈もあげています。

モンゴル帝国によるグローバリズム

アジアに目を移すと、13世紀にはチンギス・ハンが創始したモンゴル帝国が急速に領土を拡大していました。チンギス・ハンの孫にあたるフビライ・ハンは中国大陸北部を制圧すると国号を元《げん》と定め、そして1279年には中国大陸のほぼ全土を支配します。

馬に乗って移動する遊牧民のモンゴル人は、中国から中央アジア、中東、現在のロシアにまでおよぶ広大な版図を騎馬のリレーによる通商網で結びつけ、東西貿易に力を入れました。

大量の商業取引では金貨や銀貨は重くてかさばったことから、モンゴル帝国は交鈔《こうしょう》と呼ばれる紙幣を本格的に普及させます。

このモンゴル帝国の通商網は、十字軍運動を機に発達した西欧と中東を結ぶ地中海商人の通商網とつながり、世界初のグローバル商圏が成立します。こうした状況が14世紀に発生するパンデミックを引き起こす要因となるのです。

大陸の東西でペストが大流行

〈アジアから東欧〉

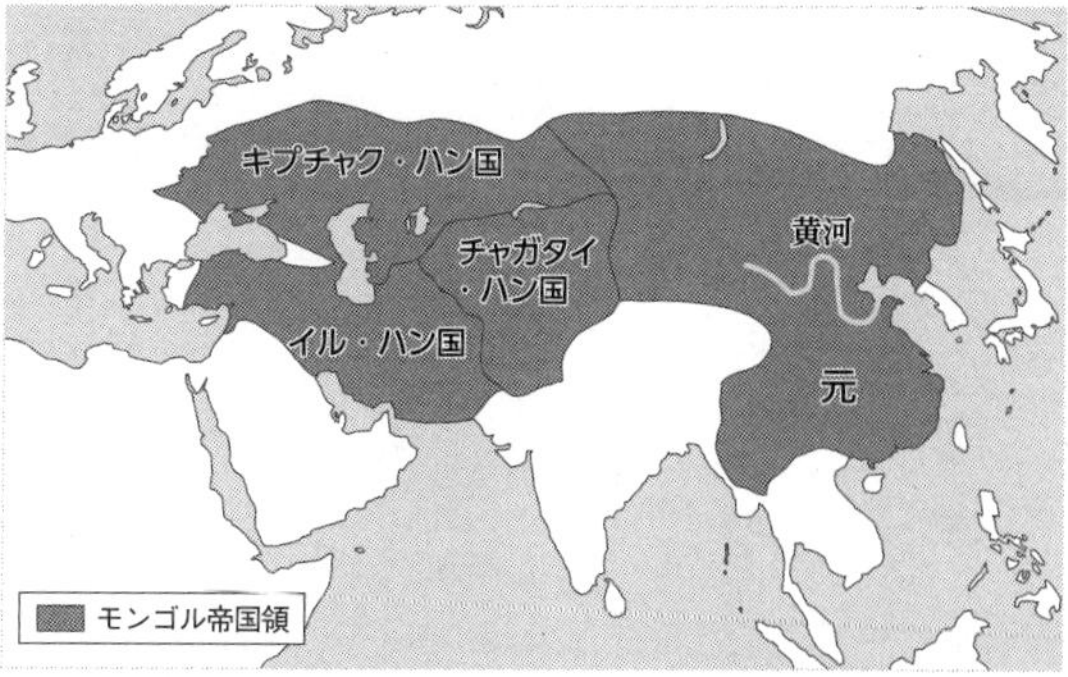

〈東欧から西欧〉

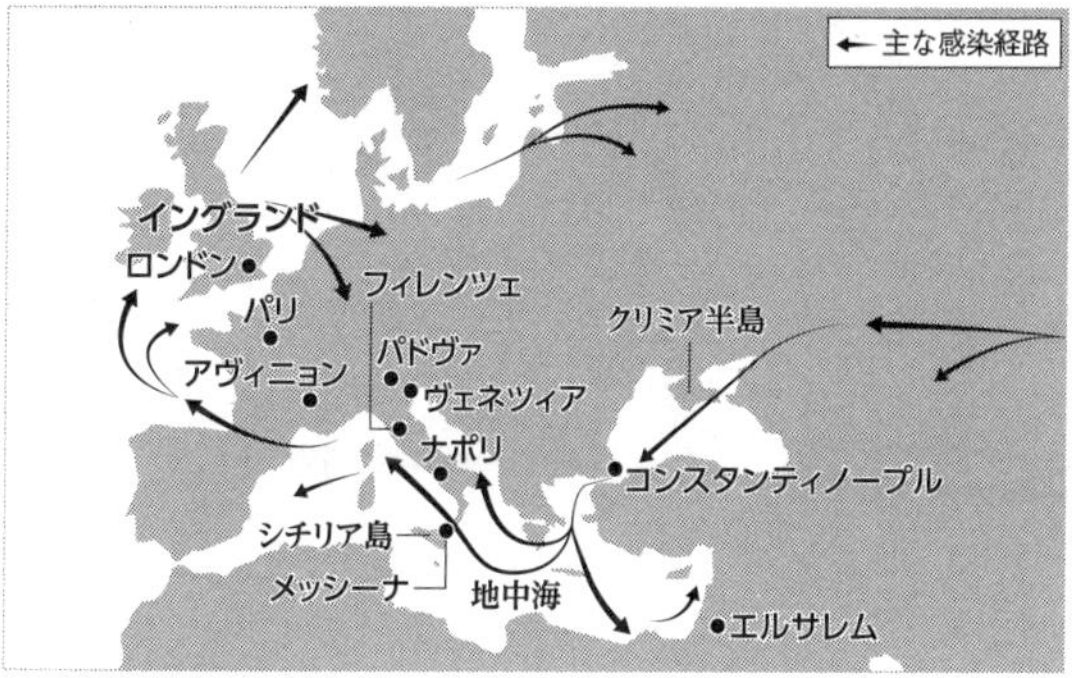

モンゴル帝国の支配域で流行したペストは、貿易網を通じてヨーロッパへと拡大し、ヨーロッパの貿易網にのってさらに拡大していった。

日経ナショナルジオグラフィック社『ビジュアル パンデミック・マップ』p136-137の図をもとに作成

黒死病の流行と重なった災厄

2回目のペストのパンデミックは、まず元の支配下にあった1330年代の中国大陸で始まります。初期に感染が広まったとみられる現在の河北省では、1334年に人口の約9割に当たる500万人が死亡したともいわれます。

これに前後する時期、元の各地では大地震や洪水が相次ぎ、河西《かせい》地方（黄河流域の西部）などでは穀物を食い荒らすトビバッタの大量発生（蝗害《こうがい》）が起こり、ペストの流行と相まって深刻な食料危機を招きます。くしくも、新型コロナウイルスが大流行した2020年に、アフリカ東部でサバクトビバッタが大量発生して中東からインドにまで広がった状況と似ています。

中国大陸で猛威を振るったペストの流行は、モンゴル帝国が築いた貿易網を通じて中東や北アフリカにまで拡大します。なお、当時の日本は元との間に国交はなく、民間レベルの私貿易が行われていましたが、ペストが日本で大流行したという記録は残っていません。

ペストは1346年にジェノヴァ共和国領だったクリミア半島に到達し、地中海を経て翌年にはシチリア島北部のメッシーナに上陸。流行地域は北方に広がり1348年にはイタリア半島からフランス王国の都であるパリに至り、同年末にはイギリス海峡を越えてイングランド王国にまで広がります。

ヨーロッパでの大流行は、中央アジアから運ばれてきた毛皮に付着していたノミがペストを媒介したとされています。この14世紀のパンデミックの最初の発生地は中国大陸であるという説のほかに、中央アジアのイシク・クル湖周辺から東方へ伝わり、続いて西方へ広がったという説もありますが、今もなお結論は出ていません。

このパンデミックは、当時のヨーロッパにとって最悪のタイミングだったといえます。前述したように、12世紀ごろからヨーロッパでは三圃制の導入などによって人口が増加していたからです。14世紀に入ると、「中世の小氷期」と呼ばれる気候の寒冷化が起こり、元と同様にトビバッタが大量発生し、大地震などの災害も相まって食料生産力が急激に低下していたのです。

加えて、中世ヨーロッパの都市は、敵の侵攻をはばむために外側を城壁で囲み、内側は複雑な街路がめぐっていました。そのため通気性が悪く、伝染病が蔓延しやすい環境だったのです。しかも、かねてより人口過密となっていたうえに、上下水道は未発達で汚物は路上に垂れ流しという非常に不衛生な状態でした。清潔な水も手に入りにくく、王都のロンドンに住むイングランド国王でさえ、数カ月に1回しか入浴しなかったといいます。

一方、農村では壁の薄い粗末な木造家屋が多く、ネズミがすみつきやすい環境でした。こうした状況下、ヨーロッパ各地で次々に感染者が増えていきます。

パンデミック下の生活

ペストの流行が広まるや、町の住民は次々と倒れ、遺体の埋葬も追いつかないありさまでした。中世ヨーロッパの医学は2世紀のローマ帝国時代からほとんど変わっておらず、病原体という概念もまだなく、感染症に対する有効な治療法や予防法はありませんでした。対処法といえば、身の回りのものを酢や硫黄で消毒するほか、患者が触れたものを焼却処分したり、患者が大量発生した地域を封鎖したり、人の移動を制限したり、感染が広まっていない地域に避難したりするぐらいでした。

地中海の貿易港では12世紀ごろから「検疫」という制度がありました。検疫とは自国に海外で流行している病気が侵入しないよう、港などにおいて入国者を調べたり、隔離したりする措置のことです。ペスト流行下のヴェネツィアでは、1374年以降、外国から来た船舶の乗員を40日間隔離することが定着します。40日とされた理由は、『旧約聖書』で神が大洪水を起こし、ノアの一族が方舟に逃れていた期間が40日だったことに由来する説、中世の錬金術で物質の変成に40日かかるとされたなど諸説ありますが、医学的な裏づけがあったわけではないようです。

この隔離期間の「40」を意味するイタリア語の「Quarantina」は、英語で検疫を意味する「Quarantine」の語源となります。

ナポリを中心に活躍したイタリアの作家ジョバンニ・ボッカチオの小説『デカメロン』は、ペスト流行期の1348~1353年に執筆されました。

作中では、フィレンツェからペストを逃れて郊外へやって来た10人の男女が、病気がもたらす不安をまぎらわすため、10日間にわたって1人が1話ずつ全100編の話を語ります。ボッカチオによれば、中流層以下の人々は1日に1000人以上も感染し、節制を重んじて敬虔《けいけん》に振る舞おうとする者もいれば、恐怖を忘れるため欲望を解放して享楽的に過ごそうとする者も現れ、多くの地域が混乱状態に包まれていたようです。

ペスト流行下のヨーロッパ各地では、ユダヤ人への迫害が激化します。病原菌という概念がなかった当時、外国人や異教徒などは、病気や災厄を持ち込んだ張本人と見なされがちでした。現在のスイスやドイツの各地では「ユダヤ人が井戸に毒を入れた」といった流言が広がり、ユダヤ人居住区への焼き討ちやユダヤ人への私刑が行われます。時の教皇クレメンス6世は、二度にわたってユダヤ人への迫害をやめるよう信徒に向けて声明を発しています。

中世における正確な人口統計はないため、ペストによる犠牲者数の推計は諸説あり、地域によってばらつきがあります。その中でも、商業地帯が多く人の移動が盛んだった地中海沿岸部の被害は深刻でした。

一説によれば、イタリア北部のヴェネツィアでの死亡率は4分の3、パドバでの死亡率は3分の2におよび、現在のフランス南部からスペインにかけての地域では、約8割もの人口が失われたともいいます。ペストが流行する以前、1328年のフランスの人口は1500万～1800万人と推定され、この数値にまで人口が回復したのは400年以上のち、18世紀末のことでした。1350年前後のヨーロッパの人口は約1億人と推定され、その約4分の1から3分の1が死亡したともいわれます。

14世紀末ごろ、ヨーロッパのペスト流行はようやく沈静化します。病原菌は毒性が強すぎると宿主を死滅させてしまうので、毒性が強い菌はしだいに死に絶え、人と共存できる程度の毒性の弱い菌が残ったようです。

人口激減で労働者の地位が向上

14世紀に起こったペストのパンデミックと中世の小氷期は、アジアでは元の衰退と、シルクロード貿易の縮小にともなう貨幣経済の後退を招きました。

しかし、ヨーロッパにおいては中世から近代への変革をもたらすことになります。ペストの流行後に起こった変化は、冒頭でふれたように次の三つに要約できます。第一に職人・商人や農民の地位の向上、第二にカトリック教会の権威の失墜を口火とした宗教改革、第三に身分や家柄によらない新しい人材の登場です。

まずは第一の変化についてです。当時は荷物の運搬、教会や官庁での書物の筆写、連絡や通信、炊事や清掃といった家事などさまざまな仕事は人力であり、上流階級層は使用人を雇わないわけにはいきませんでした。ところが、ペストの大流行により人口が激減したことで、貴族や聖職者の使用人、商店員や職工といったあらゆる職域で人手不足になります。このため、上流階級に仕える使用人や労働者はみずから雇い主を選べるようになり、貴族や大商人は、使用人や労働者を自分のもとにつなぎとめようと、待遇改善や賃上げの要求を受け入れざるを得なくなります。

イングランドにおいて労働者による賃上げ要求が高まる中、1349年に国王エドワード3世が賃金の相場をペスト流行以前の金額に固定すると定めます。しかし効果はなく、ペスト流行以前の2倍、3倍の給与で雇われる者が増加しました。それまで下級労働者は生存できる最低限の生活水準の給与しか得られませんでしたが、ペスト流行後は従来の3～4倍の所得を得られるようになります。また、男性の労働者が減った分の穴を埋めるため、女性の労働者も増加していきました。

賃金労働の増加は、貨幣経済の発達を促すことになります。とくにイングランドでは、15世紀から職工を1カ所に集めて作業させる工場制手工業（マニュファクチュア）が盛んになり、毛織物産業が成長していきます。

人口がなかなか回復しなかったヨーロッパでは、労働者の賃金上昇が16世紀以降も続きます。下級の職人や商人などの都市住民はしだいに豊かになり、食肉の需要が増え、観劇など文化的な遊興・娯楽に金銭を費やす余裕もできました。18世紀になると、アジアや中南米から輸入される紅茶や砂糖などの嗜好品を大量に消費する都市住民が増え、市場経済が拡大していきます。

農民や労働者の地位向上や貨幣経済の拡大は、13世紀ごろから徐々に進んでいましたが、パンデミックはそれを大幅に加速させたといえます。

さらに冒頭でもふれたように、人手不足による人件費の高騰は活版印刷や大型帆船などの発明をもたらしました。軍事面でも変化が起こります。それまで戦闘のプロであった騎士や傭兵は高額の人件費を必要とし、弓術や馬術などの習熟に時間がかかっていたことから、農民でもあつかえる銃器が急速に普及していきます。

農村にも貨幣経済が浸透

パンデミック後の変化は都市部だけでなく、農村でも見られました。中世ヨーロッパの多くの国において農地は荘園領主の所有物とされ、農民の大部分は領主の隷属下で労働や納税の義務を課せられた農奴とも呼ばれる身分でした。ところが、パンデミックによって人口が激減すると、各地の荘園は働き手がいなくなり税収が激減。領主は農民をつなぎとめるため、待遇を改善するよりなくなります。この結果、農奴は自由な立場で領主から賃金をもらって働く農業労働者となり、農地を所有する独立自営農民（ヨーマン）と呼ばれる階層が形成されていきます。

とはいえ、国王や領主も農民の要求を受け入れるがままではなく、たびたび増税や領主権力の再強化をはかりました。このため、1358年にフランスで起こったジャックリーの乱に代表される、大規模な農民一揆がヨーロッパ各地で続発します。イングランドで1381年に起こったワット・タイラーの乱では、農民の集団が一時的にロンドンを占拠し、国王リチャード2世に農奴制の廃止を認めさせましたが、首謀者のタイラーは捕らえられて処刑されました。こうした衝突がくり返されるうち、国王や各地の領主の権威はしだいに弱体化していきます。

穀物栽培が中心だった農村では自給自足の生活が営まれ、貨幣経済はそれほど普及していませんでしたが、その構造も変化していきます。穀物の栽培には人手を必要としたことから、人口が減少したイングランドでは人手がかからない牧羊への切り替えが進みました。農場主は牧草地を確保するため、小作人の農地や共有地に柵を築いて囲い込み（エンクロージャー）を行ったことで牧場主が増える半面、土地を失った小作人は下級の農場労働者となるか、働き口を求めて都市へ流入します。

また、農業技術が向上して大量の肥料を使うことが浸透し、商品作物の売買が活発になるにつれ、それまでの農村内での自給自足の生活がくずれ、必要な物資や食料を外部から購入する機会が増えます。こうして、物納ではなく貨幣による納税が普及したことで、貨幣経済が農村にまで広がりました。

資本主義の発達の一因に

大農場主となった自作農民は農業労働者を雇って働かせるようになり、利益追求のため収穫量を増やしたり、新しい農法を積極的に取り入れた結果、18世紀初頭のイングランドにおける小麦の生産量は14世紀の2倍にまで増えました。

18世紀中には、大麦・クローバー・小麦・かぶの4種の作物を輪作するノーフォーク農法が広まります。クローバーやマメ類といった作物はやせた土地を回復させる効果があるとともに、家畜の飼料にもなるので穀物栽培と牧畜の効率が大幅に向上し、農産物や食肉、乳製品、羊毛などの市場での流通量が増大しました。

農産物取引の拡大によって農場主は一種の資本家となり、農業の資本主義化が進みます。これら一連の変化は農業革命と呼ばれ、ヨーロッパにおける資本主義の発達の要因となりました。ところが、東欧諸国は、ペスト流行期の段階では貨幣経済が西欧とくらべて発達しておらず、賃金労働者や農民の地位向上が進みませんでした。なかでもロシア帝国は19世紀まで農奴制を維持したこともあって、経済や産業の発展は西欧に後れをとります。

あらゆる学問が教会から独立

ペスト流行によるヨーロッパ社会における変化の第二の点、カトリック教会の権威の失墜は、200年ほどの時間をかけてゆるやかに進行しました。

医学が未発達だった中世において、感染症などの災厄に見舞われた人々は神に祈るよりなく、ペストの流行は短期的には信仰心の高まりをもたらし、貴族や民衆による教会への寄進が増えました。しかし、神にいくら祈ってもペストの流行が収束せず、カトリック教会への信頼は薄らいでいきます。民衆の間では病気を神の罰と見なす考え方が広まり、既存の教会とは独立した形で、キリスト教本来の禁欲的な精神に立ち返る運動が起こります。

　イタリア半島の各地では13世紀後半、罪をあがなうため自分の身体に鞭《むち》打ちながら巡礼を行う運動が広がっていました。ペストの流行後、この運動はフランスやネーデルラント（現在のオランダ）、ポーランドなどヨーロッパのさまざまな地域へ拡大します。こうした自発的に起こった信仰にもとづく運動は、各地の農民反乱と結びつき、宗教改革の下地が形成されていくのです。

　また、中世までのカトリック教会は学校の役割も果たしていました。ローマ帝国時代から伝わる科学や哲学などの文献はほぼラテン語で記され、ラテン語教育の大部分を聖職者が担っていたからです。ところが、ペストの流行によって教会に属するインテリ層が命を落としたことで、14世紀当時ヨーロッパ各地にあった30の大学のうち4つが消滅します。ペスト流行の収束後は、教会の権威から独立した学術の探究が進み、のちのルネサンス（文芸復興）の一因となります。

中世の医師はラテン語が基礎教養とされ、多くの病院が教会や修道院に併設されていました。当時の医学では、人の身体に直接ふれる外科医は蔑視され、内科が重視されていました。内科は実践よりも理論を偏重し、ローマ帝国時代の医師ガレノスが唱えた四体液説を基本としていました。この四体液説とは、血液、粘液、黄胆汁《こうたん》、黒胆汁の4種類の体液のバランスによって人の健康は保たれる、という考え方です。この学説は現代医学では否定されており、当時もペストの治療には効果がありませんでした。そのため、理論より実践を重視する傾向が高まり、外科医の地位が向上していきます。

各地の都市では、公衆衛生を担当する役人が教会よりも大きな権力を持つようになり、感染拡大を防ぐため、たびたび教会に対して、多くの人々が集まる公開の説法や祭礼の中止、学校の閉鎖を求めるようになりました。

15世紀に入ってペストが沈静化したころ、インノケンティウス8世やアレクサンデル6世といった教皇が権威を強める中、教会では汚職が横行します。このカトリック教会のあり方をザクセン出身の神学者ルターは批判し、ラテン語を身につけていない民衆でも読めるようドイツ語に翻訳した聖書を広めました。このとき翻訳された聖書が普及する過程で生かされたのが、活版印刷でした。

ペスト流行期に起こった教会批判、学術の教会からの独立、労働力不足が生んだ発明品の活版印刷が結びつき、宗教改革が本格化していったのです。

〝死〟が文化を活性化させる

最後となる変化の第三の点が、旧来の貴族階級や聖職者階級とは異なる新しい人材の台頭です。このことは文化の革新に結びつくことになります。

中世のペストによる死亡者は高齢者よりも若年層が多かったといわれますが、そもそも当時の平均寿命は40歳未満で、よほど強健でなければ50歳以上まで生きる人は少数でした。学校教育制度も広く普及しておらず、子どもは10歳ぐらいから働くのが通例でした。貴族でも商家でも、先代の当主が死ねば20歳ぐらいで家を継ぐのはめずらしくなかったといいます。

とくに一定以上の資産がある階級では、ペストによる死亡者から生き残った遺族へ

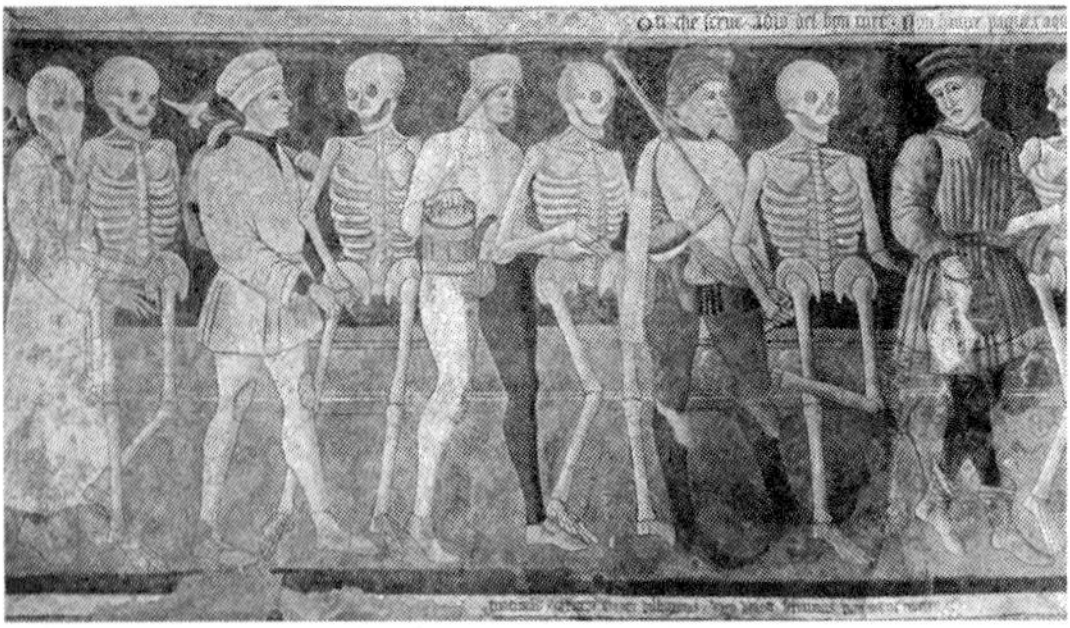

14世紀に「死の舞踏」などをモチーフに描かれる（Shutterstockより）。

の遺産の相続、教会や公共機関への寄付が盛んに行われました。こうした資金が建設工事など市場に投下されることで、経済を活性化させた面もあります。

先にふれたように、ペストの流行によってヨーロッパではラテン語教養を身につけた聖職者階級の社会的な影響力が衰えました。イングランドでは11世紀以来、高等教育の場ではラテン語と並んでフランス語が使われていましたが、フランス語を教える教師の多くがペストで命を落とすと、庶民が使い慣れた自国語（英語）での教育や出版が広がります。

14世紀末にはイングランドの詩人ジェフリー・チョーサーによって『カンタベリー物語』が著されます。同書は英文学史において、自国語で書かれた中世を代表する文学作品として高く評価されています。

ペストの流行期には、王侯貴族も聖職者も農民も市民も、等しく病苦の前では無力であり、死が平等に人々を襲いました。このことは、「王侯貴族も農民も死の前では同じ人間」という意識をもたらします。

14世紀後半から16世紀には、『死の舞踊』と呼ばれる踊る骸骨《がいこつ》を描いた版画、青い馬（聖書に登場する死の象徴）を描いた聖フランチェスコ教会の壁画など、「死」をモチーフとした芸術作品が多く製作され、人は高貴な者も貧しい者も、みないずれ死ぬという戒《いまし》めを込めて、ラテン語での「メメント・モリ（死を忘れるな）」というフレーズが広まりました。

「死」のイメージは、やがて「再生」への願望、人間らしい生の肯定に結びつきます。この時期に書かれたボッカチオの小説『デカメロン』では、苦難からの逆転、好色さや悪知恵などキリスト教の道徳観を離れた人間らしさが語られました。

14世紀のペスト流行をくわしく記録したイタリア北部の都市シエナの年代記作家は、ペストの流行が沈静化したあとのヨーロッパの雰囲気について「誰もが何かをせずにいられなかった」と記しています。こうした感情が15世紀以降、ダ・ヴィンチ、ミケランジェロ、ラファエロらの登場によって本格的に開花するルネサンス期の絵画や彫刻、文学などに与えた影響は少なくないでしょう。

ペスト医師に〝くちばし〟がある理由

15世紀以降も、ペストの流行は世界各地で何度かくり返されます。ヨーロッパではこれと並行して16～18世紀に、カトリック教会とこれに対するプロテスタント教会が、たがいに自分たちの宗派に属さない人々を異端と見なして弾圧し、異端と見なした女性をきびしく処罰する魔女狩りが横行しました。

魔女とされた人々の中には、教会が教える正統な医学に属さない民間療法やまじないを行っている者もいました。病気の流行下ではこうした手段にすがる民衆も少なくありませんでした。

しかし、こうした人々を黒死病の蔓延を招いていると見なして捕縛し、処刑などが行われます。さらには、魔女は猫を使役しているとされ、オランダやフランスではたびたび猫が大量に駆除されました。当然、猫が減ればペストを媒介するネズミが増え、ますます黒死病が蔓延するという悪循環も発生しました。

17世紀には商業が発達していたイタリアをはじめ、ヨーロッパ各国の都市で病気の流行に対応する公衆衛生局が発足し、検疫や感染者の隔離を徹底します。公衆衛生局の仕事の一つは、感染症が発生した地域で生産された商品の燻蒸《くんじょう》消毒や焼却処分で、高価な絹製品を没収されて処分され、不満を抱く商人もいました。

中世に存在したペスト医師（World History Archive／ニューズコム／共同通信イメージズ）。

このころ、ヨーロッパでペストの治療に当たっていた医師のスタイルは独特なものでした。患者との接触による感染を防ぐため、肌の露出を避けたうえ、頭部は鳥のようなマスクで覆っていました。マスクのくちばしの部分には、樟脳《しょうのう》やバラといった病気の原因となる悪い空気（瘴気）を避けられるとされていた香料がつめ込まれていました。

ヨーロッパのネズミが入れ替わった!?

1660年代には、オランダからイングランドへと広がったペストによって、意外な副産物が生まれることになります。当時、王都ロンドンのケンブリッジ大学のトリニティ・カレッジで学んでいたアイザック・ニュートンは、ペストの流行を避けて郷里にもどり、研究と思索に打ち込みます。そうして、微積分計算、万有引力の法則、光の分析（光学）などの基礎理論をまとめ上げたのです。

このペスト流行の最中の1666年、ロンドンで発生した大火事（ロンドン大火）によって大量の家屋が焼失します。これを契機に木造家屋がレンガ造りの家に建てかえられ、わらを床に敷く習慣が廃れました。住宅事情の改善によって家屋に生息するネズミが減り、ロンドンはペストが広がりにくい環境になっていきます。

18世紀の中期以降のヨーロッパにおいて、ペストによるパンデミックはほとんど起こっていません。その理由として、検疫や隔離の徹底、気候変動、ペスト菌が変異して毒性が弱くなったなどに加えて、ネズミの大移動があげられます。1720年代、ロシアから大量のドブネズミが西欧に流入し、西欧在来のクマネズミが駆逐されていったのです。これにより、ネズミがペストを媒介することが減ります。

19世紀中ごろになると、近代的な衛生観念が広まり、ヨーロッパ各地では上下水道が整備され、陽あたりや風通しのよい広い街路を備えた都市計画が進められ、病気が蔓延しにくい環境が築かれていきました。

感染症の代表格というイメージ

19世紀に入ると、蒸気船の普及によって世界の交易網は急速に発展し、帝国主義を突き進むヨーロッパ列強は、相争って世界各地に領土と市場を拡大していきました。中国の清朝をはじめ、アジアの沿海部の港湾地帯に多くの船舶が行き交い、商業の発達によって急激に住民が増加して慢性的に不衛生な環境となります。

こうした状況下、1894年に3回目のペストのパンデミックが起こります。流行は中国の雲南省から始まり、国際的な貿易港となっていた香港を経由してアジア各国やハワイに広まり、1920年代まで断続的に世界各地で猛威を振るいました。フランスの作家カミュが1947年に発表した小説『ペスト』は北アフリカの仏領アルジェリアを舞台としており、当時のペストの流行を題材にしています。

1900年前後にはすでに、ドイツの医学者コッホらによって近代的な細菌学が確立されていました。日本の伝染病研究所に属する北里柴三郎と、フランスのパスツール研究所に属するイェルサンはそれぞれペスト流行下の香港を訪れ、感染者の体組織からペスト菌を特定して分離（単離）することに成功しました。ほどなく、パスツールの弟子でロシア出身のハフキンがペストワクチンの開発を進めます。

1899年には日本の横浜港の検疫所に勤めていた医官補が、太平洋航路の客船「亜米利加丸」の乗組員がペストに罹患していることを突きとめ、水際でペスト上陸を防いでいます。この医官補こそ、若き日の野口英世でした。同年には神戸港に入港した台湾船を通じて日本にもペストが広まりますが、感染者数は1926年に収束するまでに2905人、死者は2420人にとどまりました。検疫や隔離の徹底など近代的な衛生・医学の知識が生かされたおかげです。

第二次世界大戦後には、細菌感染症の治療に大きな効果を発揮するストレプトマイシン、クロラムフェニコール、テトラサイクリン、フルオロキノロンといった抗生物質が普及したのに加えて、各国の都市ではネズミとノミの駆除、上下水道の整備など衛生環境の改善が進み、ペストの脅威は大幅に低下しました。

　とはいえ、ペストが歴史上、人類にとって恐ろしい感染症の代表格であったというイメージは多くの国で広く共有されています。１９８０年代に、ヒト免疫不全ウイルス（ＨＩＶ）によって発生するエイズが急速に流行し、治療法が確立されていなかった時期には「世紀末の黒死病」とも呼ばれました。このように黒死病の名と社会にもたらした影響は、人類史に深く刻まれているのです。

インフルエンザ
——influenza——

今では適切な治療を受ければ、生命に関わる病気とまではいえなくなったが、20世紀初頭までは人類にとってインフルエンザは未曾有の脅威であり、人種も民族も関係なく、世界の多くの人々が命を奪われ、その影響は大戦の動向を左右するほどだった。
それほどの感染症が流行したとき、人々はどのように対処したのだろうか。そこから見えてくる教訓がある。

世界中に存在する痕跡

わたしたちにとって最も身近な感染症というと、インフルエンザがあげられるでしょう。インフルエンザは、インフルエンザウイルスを病原体として発症する急性の呼吸器感染症です。冬になると流行するため、ワクチンを接種する人も多いはずです。そんなインフルエンザは、はるか昔から人類を苦しめてきました。

紀元前412年、古代ギリシアの医師ヒポクラテスが「ある村で突然、住民が高熱を発し、体がふるえ、せきが止まらなくなる病気が蔓延したが、あっという間に沈静化した」と書き残しています。近年の研究によって古代ギリシアで記録されたこの病はインフルエンザであったという説が有力となっています。

その後も、インフルエンザは流行します。記録から推測すると、14〜15世紀のイタリアではくり返し流行していたようです。

初めてはっきりとインフルエンザによるパンデミックであると認識されているのが、1580年のアジアでの流行を皮切りに、アフリカ大陸からヨーロッパ、ついにはアメリカ大陸にまで広がったケースです。当時のイタリア半島の都市ローマでは8000人超が死亡し、スペイン王国の都市の一つが壊滅したとの記録もあります。

平安時代の日本で成立した『日本三代実録』の862年の記述には「咳逆《がいぎゃく》（しわぶき）、死者甚衆」とあります。咳逆とは、せきが出る病気のことです。これが日本における最初のインフルエンザに関する記録と見られています。また、同じく平安時代に紫式部が著した『源氏物語』のヒロインの1人、夕顔の死因がインフルエンザとする説もあるなど、このころの日本において、インフルエンザが身近だったことがうかがえます。

時代は下って鎌倉時代初期にあたる1233年には、公家で百人一首を編纂したことで知られる藤原定家が、その日記『明月記《めいげつき》』において「近ごろ、咳病が流行るが、世俗は夷病《えびすやまい》という。去年に京へきた異邦人を万人がみたため」と記しています。京都で流行した原因は定かではありませんが、インフルエンザが外国から流入してきたという認識があったということです。当時は蒙古襲来（元寇）が起こる以前であり、鎌倉幕府と中国王朝の南宋とは交易を行っており、大陸から伝わった可能性が考えられます。

病原を発見したのは日本人!?

インフルエンザという病名は、「影響」を意味するイタリア語の「インフルエンツァ」から16世紀に名づけられました。というのも、当時のイタリアでは、毎冬に必ず流行するこの病が、星の動きが影響して引き起されると考えられていたからです。世間に影響力のある人を指すインフルエンサーも同じ語源です。

ヨーロッパでは古くからこのインフルエンザの症状は知られていて、その原因として瘴気説が信じられていました。悪い空気によって、インフルエンザを発病するというのです。日本でも風邪や風疫《ふうえき》といった呼称があることからもわかるように、悪い風が吹いて人々を病気にすると信じられていました。

20世紀初頭には瘴気説に代わって細菌説が提唱され、ドイツ人医師のロベルト・コッホによって存在が証明されて以来、さまざまな細菌が発見されていきます。そして1892年、コッホの弟子が患者の鼻から細菌を発見しました。動物実験では原因菌としての証拠は見つけられませんでしたが、患者の咽頭に多く存在していたこともあり、これをインフルエンザの原因菌と断定し、「インフルエンザ菌」と名づけたのです。

のちに、インフルエンザウイルスの存在が立証されたものの、インフルエンザ菌（ヘモフィルス・インフルエンザ）は改名されず、現在に至ります。このインフルエンザ菌は健康な人ののどや鼻孔に常在し、時として中耳炎や気管支炎などを引き起こすことがあります。

インフルエンザの原因がウイルスによる粘膜感染だと判明したのは、1933年のイギリスでのことでした。国立医学研究所のウィルソン・スミスとクリストファー・アンドリュースのグループによる実験からとされています。インフルエンザ患者から分離したウイルスをフェレットののどに感染させる実験を行い、インフルエンザの症状を再現しました。

じつはそれ以前の1919年、フランスのパスツール研究所の元研究員である日本人博士の山内保《やまうちたもつ》がインフルエンザウイルス説を提唱していました。山内は患者のうがい液を、志願した看護師や門弟、友人らの咽頭内に接種して感染させる実験を行い、インフルエンザの発症が確認されたことから、ウイルスが原因だと確信します。この研究結果をイギリスの権威ある医学雑誌『ランセット』に発表しました。なお、インフルエンザ菌を咽頭《いんとう》に接種する実験を行ってインフルエンザ菌が原因菌でないことも明らかにしています。

ただし、この山内の業績は国内外で失念されていて、近年になってようやく再評価されるようになったのです。

パンデミックの20世紀

前述したように、インフルエンザに感染したという事例が古代から世界各地で見受けられました。しかし、その存在が明らかとなり、本格的に人類に牙をむいてきたのは20世紀になってからです。20世紀、人類は三度にわたってインフルエンザのパンデミックを経験します。

まず1918年、第一次世界大戦中にアメリカで通称「スペイン風邪」が発生し、世界で猛威を振るいました。風邪と呼称されたのは、原因がインフルエンザウイルスであるかどうかも、当時はわかっていなかったからです。

当時の地球上の全人口18億人のうち、少なくとも3分の1から半分ほどがスペイン

インフルエンザのパンデミック

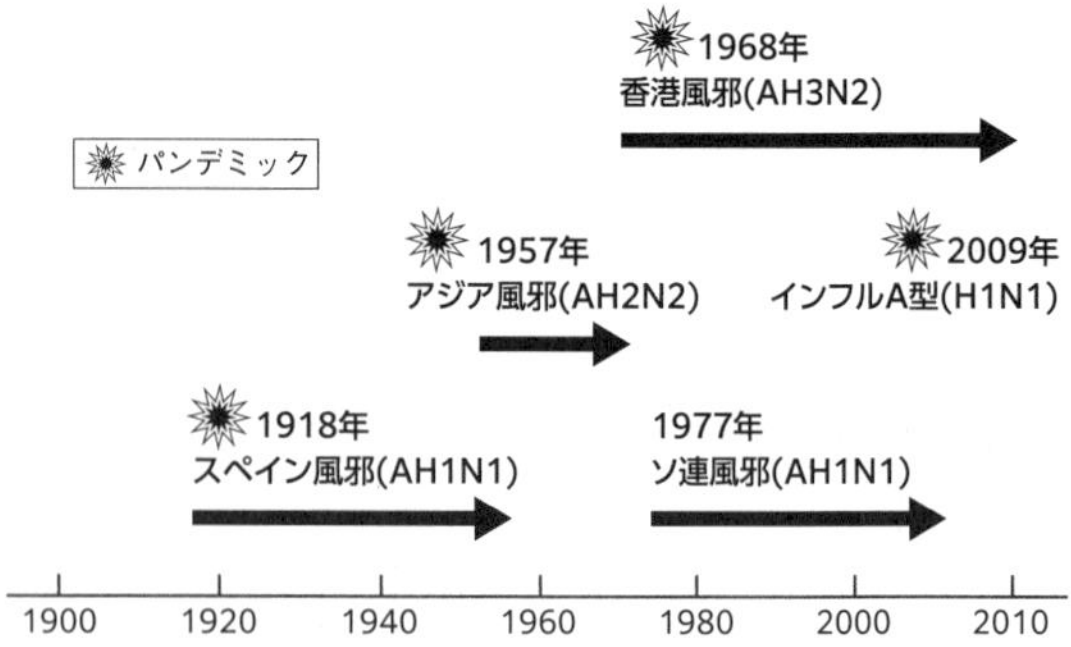

数十年周期で型の異なるインフルエンザウイルスが出現している。

島根県感染症情報センターHP「新型インフルエンザとは？」をもとに作成

風邪に感染し、４０００万から５０００万人が亡くなったといわれています。なお、この死亡者数は、第一次世界大戦における推定の戦死者８０２万人をはるかに上回ります。

続いて１９５７年4月、香港から「アジア風邪」が発生し、半年もしないうちにアジア一帯、オーストラリア、アメリカ、ヨーロッパへと伝わりました。航空機といった各交通機関の発達により、スペイン風邪の時代とくらべて、伝染するスピードが急速化していました。アジア風邪によって１００万人以上が死亡したと考えられています。日本でも３００万人が感染し、そのうち５７００人あまりが亡くなりました。

そして1968年7月に、香港で「香港風邪」が発生します。夏から秋にかけてアジア、ヨーロッパ、アメリカに広がりました。第一波では、それほど勢いはありませんでしたが、翌年の冬の第二波では高い感染率と死亡率をもたらしました。世界で100万人以上が死亡し、日本でもおよそ14万人が感染して、約2000人の命が奪われました。

このほか、1947年にイタリアで新たなインフルエンザウイルス「イタリア風邪」が見つかり、翌年からヨーロッパや北アメリカ大陸で流行しました。ただし、ウイルスの型がスペイン風邪と同じことと、第二次世界大戦後の混乱で正確な情報がないことからパンデミックと認識されていません。

1977年5月には、中国北西部で「ソ連風邪」が発生しました。12月にはシベリア、西ロシアからアメリカ、ヨーロッパへと伝播しました。ソ連風邪のウイルスの遺伝子はイタリア風邪と同じものです。これもパンデミックと見なされていません。

当時、イタリア風邪ウイルスは、自然界から消失していたと考えられていたので、なぜ再び流行したのかは謎に包まれています。実験室に凍結保存されていたものがもれ出たという説もあります。

濡れ衣でつけられた名称

　ここからは、インフルエンザパンデミックの中でも最大規模、かつ人的被害が非常に大きいスペイン風邪について見ていきましょう。

　スペイン風邪の最初の報告は、第一次世界大戦中の1918年3月4日、アメリカ中西部に位置するカンザス州ファンストン基地（現在のライリー基地）のものです。発熱や頭痛の症状のある兵士が基地診療所に殺到します。1000人以上で同症状が確認され、48人が死亡しましたが肺炎として処理されました。

　ファンストン基地の近くにある越冬地の渡り鳥から、基地の豚舎のブタがインフルエンザウイルスに感染。ブタの体内で人に感染するように変異したウイルスが、豚舎の清掃担当兵士に感染し広まった、というアメリカ起源説が有力です。

　ほかにフランス起源説も存在します。第一次世界大戦の最中、北フランスのエタープル村にはイギリス軍の基地があり、連合国軍兵士10万人あまりが出入りしていました。1916年12月、その基地においてインフルエンザに似た症状の兵士が現れ、戦

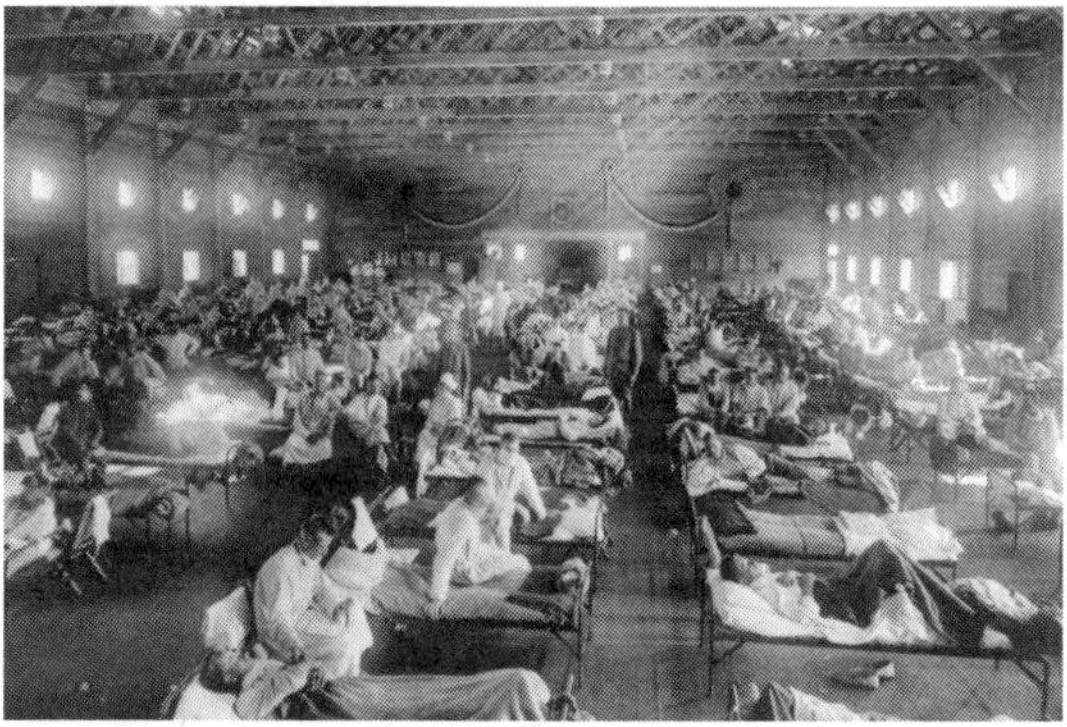

スペイン風邪の発生源とされるファンストン基地に設置された病棟(KRT/ニューズコム/共同通信イメージズ)。

闘の2倍以上という死亡率で死亡したとの記録があるのです。

近年になって中国起源説も浮上しました。1917年11月に、中国北部で似たような呼吸器病が流行していたという記録があるのです。ベルギー南部からフランス北東部でくり広げられた西部戦線でイギリス軍とフランス軍を後方から支援するため、9万6000人の中国人労働者が動員されたことがわかりました。彼らが中国本土ですでに感染していて、そこからヨーロッパに広まったというのです。

また、1917年からカナダを横断してヨーロッパに送られた中国人労働者2万5000人のうち、検疫を受けた3000人あまりにインフルエンザに似た症状があったという記録も見つかっています。中国人労働者の動員は秘匿されていたため、症状が出ていても対処されなかったのです。

発生源にまつわるいくつかの説を見ても、スペインのことは出てきません。にもかかわらず、なぜスペイン風邪という名称がついているのでしょうか。その答えは、第一次世界大戦中という世情によるところが大きいのです。

第一次世界大戦は、イギリスやフランス、ロシア、遅れて参戦したアメリカなどの連合国と、ドイツ帝国やオーストリア・ハンガリー帝国、オスマン帝国、ブルガリアなどの同盟国との間で行われた戦争です。戦時下ということもあり、連合国と同盟国に属する国は情報を統制しており、たとえインフルエンザが流行しても、国外にその情報が流れることはありませんでした。

そのような国際情勢の中、スペイン風邪がスペイン王国を襲います。国王のアルフォンソ13世や大臣をはじめとして国民約800万人が感染し、国の機能がまひしました。スペインは両勢力から距離を置いて中立の立場をとっており、情報を統制していなかったことから、1918年5月22日にマドリードABC新聞がパンデミックの惨状を記事にし、5月末にはイギリスのロイター通信により国外に報じられました。

これがインフルエンザに関する世界最初の報道であったため、スペインが発生源のように各国から受け取られてしまい、スペイン風邪と国名まで冠せられたのです。これにスペイン政府は抗議しますが、変更されませんでした。

現在では差別や経済的な悪影響を避けるため、新興感染症の名称に地名は用いないという国際ルールが2015年から存在します。

甘く見られていた第一波

アメリカのファンストン基地で1918年3月4日に発生が確認されたスペイン風邪は、その1週間後にはニューヨークでの感染が確認され、以後、またたく間にアメリカ全土へと拡大しました。軍関係者の国内移動が伝染に拍車をかけたのです。デトロイトの自動車工場では、3月だけで1000人以上の労働者が欠勤し、業務に支障をきたしました。4、5月にはカリフォルニアの刑務所で全囚人1900人のうち500人が感染し、3人が亡くなったといいます。

このころヨーロッパの戦場では、ドイツを中心とした同盟国軍が攻勢をかけ、パリまで約100キロメートルの地点まで進軍していました。というのも、1917年に起こったロシア革命によりロシア帝国が倒れ、代わって成立したソヴィエト政権がドイツと講和条約（ブレスト・リトフスク条約）を結んだことで、ドイツはロシアとの東部戦線にあてていた兵力200万人を西部戦線に移動させたからです。

連合国軍は反撃のため、アメリカからの派兵の受け入れを決めます。こうして、船でヨーロッパへ輸送された何十万ものアメリカ軍兵士の中に感染者がいたことで、フランスに駐留する連合国軍へ、それらの母国へと感染は拡大していったのです。フランス北部ダンケルクにあったアメリカ海軍の水上飛行艇基地では、90％もの兵士がスペイン風邪に感染したといいます。

連合国側では当初、スペイン風邪はドイツの陰謀であるという噂が流れていました。第一次世界大戦では、毒ガスなどの化学兵器も使われていたからです。しかし5月に入ると、ドイツ軍内でも発病が確認され始めます。ドイツ軍士官は1890年に流行したロシア風邪によって抵抗力がありましたが、新兵らはスペイン風邪に苦しみます。

ドイツ軍は5月27日、西部戦線で大攻勢をしかけます（第三次エーヌの会戦）。連

スペイン風邪の主な感染ルート

〈第一波〉

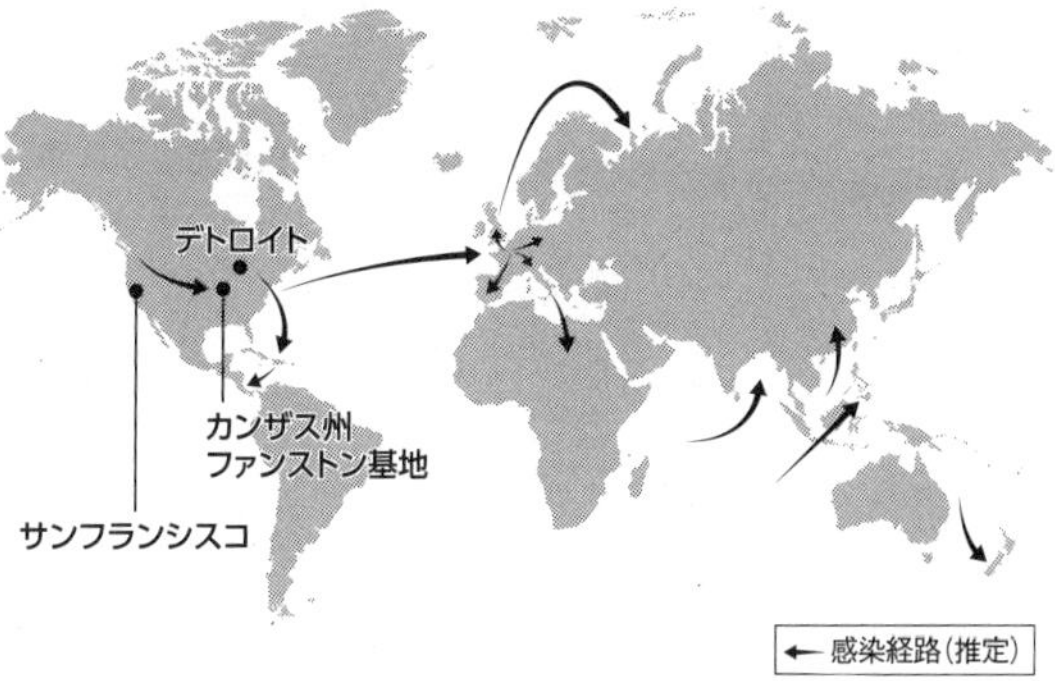

〈第二波〉

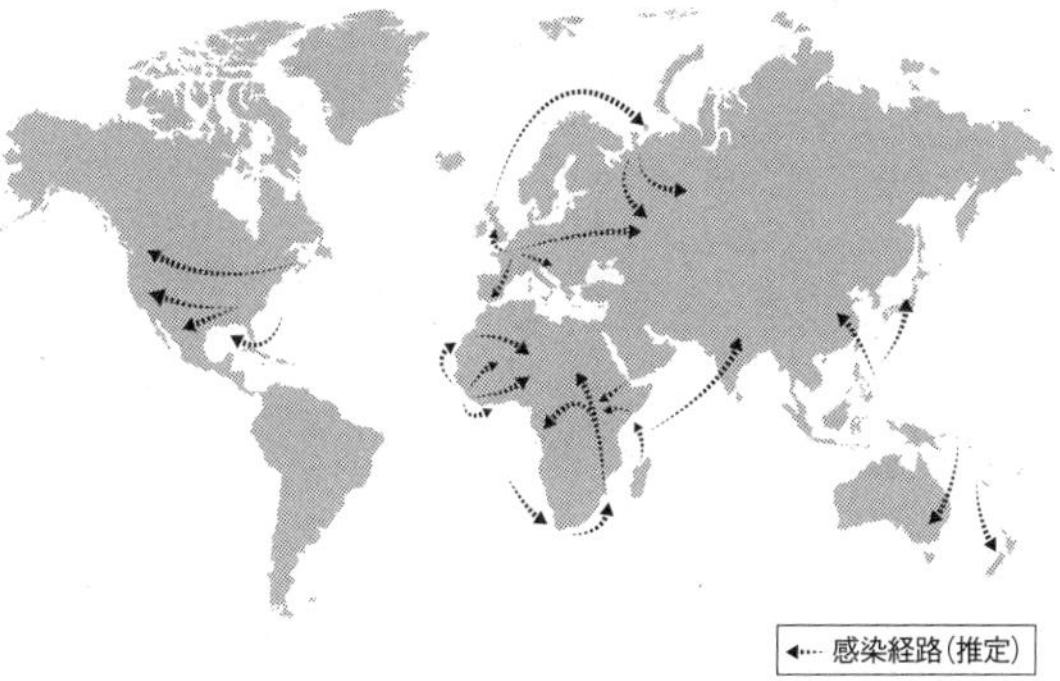

大戦の主戦場だったヨーロッパ以外の地域からの人の移動も、感染拡大を促す結果を招いてしまった。

日経ナショナル ジオグラフィック社『ビジュアル パンデミック・マップ』p26-27をもとに作成

合国軍は瓦解しそうになりながらも、アメリカからの派兵により戦力が増強されたことで戦線を持ち直します。それならと、ドイツ軍は後方に控えていた予備軍を戦線へ投入しようとしますが、スペイン風邪が蔓延していた予備軍は動くことができませんでした。6月になると、ドイツ軍は弱体化し、西部戦線は膠着しました。

1918年の春から夏にかけてもスペイン風邪は流行しますが、感染力は高くても発熱が数日続くくらいで致死率も低く、脅威ととらえられていませんでした。アメリカ軍は「3日熱」と呼び、あなどっていたくらいです。

4カ月あまりで世界中に広がったスペイン風邪は、やがて夏になると収束していきました。ただし、これから起こることのほんの序章に過ぎませんでした。

凶悪化したウイルス

収まったと思われたスペイン風邪の勢いが再び盛り返し始めたのは、1918年8月のことでした。

アメリカの北東部の都市ボストン、フランスの西北部の都市ブレスト、西アフリカにおけるイギリスの植民地だったシエラレオネの首都フリータウン、この3つの港湾都市で、同時に感染爆発が報告されます。フリータウンは、ヨーロッパと南アフリカを結ぶ石炭輸送の重要港でした。

しかもウイルスは変異しており、強い毒性をともなっていました。発症後、1～2時間で動けなくなるほど衰弱して高熱が出たうえに、体中をこん棒でぶたれたような痛みに襲われます。5～10％の感染者が重篤な肺炎となり、体液が肺に充満して空気中にいながらおぼれ死ぬなどという事例も多発しました。さらに、若者の重症化率が高かったのも特徴です。

シエラレオネでは8月におよそ200人の患者を乗せた軍艦が入港し、現地の労働者が石炭を補充しました。直後より労働者に症状が出始め、短期間のうちに国内人口の5％が死亡。そこから鉄道や河川輸送によってアフリカ大陸各地に広がります。

強毒性のスペイン風邪の第二波は一般市民の間でも流行します。アメリカでは医師や看護師、警察官、そしてインフラを支える鉄道員やゴミ清掃業者、遺体埋葬業者などが倒れ、社会機能がまひしました。家庭においても、多数の大人がスペイン風邪で倒れたため、仕事はもちろん、買い物すらおぼつかず、一家全員が家から出られなくなったため、ボランティアが炊き出しをして各家庭を回ったという事例もあります。

国内がそんな状況にありながら、ヨーロッパの戦線は打開するため、アメリカは月に25万人以上を派兵します。その際、乗船前に兵士らの体調をチェックこそしていたものの、それだけでは感染拡大を防げるはずもなく、密閉空間である船中で発症する者が多発しました。

とくに有名な兵員輸送船がリヴァイアサン号です。乗組員2000人、軍関係者9000人を乗せたこの船は、1918年9月28日にニューヨークを出港。10月7日にフランスに着きました。その航海中、船内で2000人以上が発症し、80人が死亡しました。下船後の患者も含めると、2000人以上がスペイン風邪で亡くなったといいます。船内の床は、感染者の鼻血や吐き出した血痰で真っ赤に染まり、吐瀉物や排泄物も処理できず、足の踏み場もない状態でした。

たとえ船中で感染せずにすんだとしても、戦場も高い感染リスクをはらんでいました。西部線戦では塹壕《ざんごう》戦が展開されていました。塹壕とは、地面に掘られた人や兵器を隠す穴や溝のことです。狭く湿度も高い不衛生な塹壕は、赤痢や発疹チフス、コレラ、そしてスペイン風邪などが蔓延する条件がそろっていました。スペイン風邪は敵味方関係なく戦線で流行し、両軍は戦闘停止の状態に陥ったのです。

戦地からの帰還兵士によってスペイン風邪が広まったドイツでは、食料不足や経済の混乱を引き起こし、国内に厭戦《えんせん》気分をもたらします。1918年10月、出撃拒否をしたドイツ水兵によるキール軍港での反乱をきっかけにドイツで革命が起こり、皇帝ヴィルヘルム2世はオランダに亡命。帝政は倒れ、同年11月、ドイツ共和国が樹立されます。11月11日には、ドイツ共和国が連合国と休戦協定を結び、第一次世界大戦は終結しました。

もしスペイン風邪が流行しなければ、第一次世界大戦は、より長引いていたかもしれません。

サンフランシスコでマスク騒動

スペイン風邪の猛威に対し、アメリカの人々はただ手をこまねいていたわけではありません。サンフランシスコでは第二波の襲来の際、ワクチンが増産され、市民に配られました。ワクチンはボストン近郊で製造され、1918年10月28日に必要とされる1人あたり接種3回分、およそ1万7000人分が到着しました。

11月2日までに、サンフランシスコ全人口55万人のうち、1万8000人に接種されました。すると、スペイン風邪の罹患者の死亡率が低下しました。ただし、必ずしもワクチンの効力によるものとは考えられません。なぜならば、欧米で当時使用されたワクチンはインフルエンザウイルスに対してではなく、二次感染である肺炎を引き起こすレンサ球菌や肺炎菌から予防するものが主であり、当時のワクチンには、スペイン風邪に直接的な効能はなかったのです。

なぜ罹患率、死亡率が下がったのかというと、二次感染の肺炎が減ったことと、マスクを装着していたからだといいます。

サンフランシスコの保健委員会は10月18日に、すべての商店の接客担当従業員に営業時間内のマスク着用を呼びかけ、すべての理容店にはマスク着用を義務とします。11月1日には全市民にマスク着用を義務化する条例を施行しました。とはいえ、条例の施行を待たずして、市民の99％がマスクをしていたといいます。医療従事者がマスクを着用していることに目をつけた市民が、自発的にマスクを装着したのです。

ただし、当時のマスクはガーゼマスクであり、何枚重ねて装着しても極微なウイルスの侵入は防げませんでした。それでも口を介しての唾液飛沫の拡散と侵入防止には役立ちました。

なおマスクの装着により、タバコや葉巻の売り上げが50％も落ち込みました。マスクをしていると、タバコをうまく吸えなかったからです。

11月11日に第一次世界大戦の終結が伝わると、何万もの市民が街路に飛び出しパレードにくり出しました。ほとんどの人々が片手に合衆国旗を持ち、ほんの一部の例外を除き、みなマスクを着用した光景が見られました。

「マスク反対同盟」が結成⁉

このサンフランシスコの対策は功を奏し、10月19日から1週間の発生患者数は８６８２人でしたが、２週間後には２２００人まで落ち、その翌週には６００人、11月の最終週にはわずか57人にまで激減しました。パンデミックが収束しつつあると感じた市民の間に気のゆるみが生じ、マスクを口から下げるようになります。そして11月21日にマスク着用義務条例は解除されます。

ところが、それは早計でした。12月に入ると、徐々にスペイン風邪の届け出数が増加していったのです。死亡率も上昇し、看護師不足の問題も顕在化してきました。

サンフランシスコは、再びマスク着用を市民に呼びかけます。しかし市民の90%が再度のマスク着用を拒否します。マスクの着用が不便かつ不快だったからです。加えて、一部のキリスト教会が個人の自由と憲法に保障された人権をもとに、マスク着用に抗議。新聞もマスク着用に懐疑的な論調を掲載します。マスク反対派が送りつけたとされる時限爆弾が、保健委員会委員長のオフィスに届けられるテロ未遂事件まで起こっています。

サンフランシスコでは、12月16日に市民を交えての公聴会が開かれ、その3日後、再度のマスク着用義務条例案は却下されました。

年が明けてから1週間の患者数2969人、死亡者数が195人という報告によって、1月17日にマスク着用義務条例が再び発効します。

一方で市民団体やマスクの効果に懐疑的な医師、狂信的な反マスク主義者などが集結して「マスク反対同盟」を結成、条例撤回を求めました。その間に患者数は徐々に落ちていき、やがて流行は終わりました。

1919年9月から翌年1月までの間で、人口55万人のサンフランシスコでのスペイン風邪の患者数は5万人超、死亡者数は3500人となりました。死亡者の3分の2が20代から40代の若者であったともいいます。市はマスク着用義務条例という、きびしい政策をとりながらも、死亡率はほかの大都市とさほど変わりませんでした。マスク着脱の紆余曲折が影響したのかもしれません。

ただし、アメリカ疾病予防管理センター（CDC）が2007年に発表したデータによると、スペイン風の流行時、感染拡大を抑制し、死者数を抑えることに成功した都市もありました。それらの都市では、学校の閉鎖、多人数による集会の禁止、感染者の隔離と活動自粛といった措置がとられていました。これら公衆衛生上の措置は効果的であり、新型コロナウイルス感染症の流行下にある2020年現在でも実施されています。

複数の要因が重なり犠牲者が増加

スペイン風邪の流行によって大きな被害を受けたのは、第一次世界大戦の主戦場であったヨーロッパでも、感染源と推察されているアメリカでもなく、アジアやアフリカでした。その中でも、インドの人的被害は甚大でした。死亡者数はおよそ1700万人といわれ、その数はスペイン風邪による全世界の死亡者数の半分近くに達します。

インドでこれだけの死亡者数が出たのは、複数の要因が重なったためでした。まずは、公衆衛生の問題です。医療体制がないに等しい当時のインドの農村では、感染者増加に歯止めがききませんでした。それというのも、そのころインドを支配していたイギリス植民地政府が、農村の公衆衛生に無策だったからです。そのため、農村から診療所のある都市に人々が移動することもめずらしくなく、感染は拡大していきました。たとえば、ボンベイ（現在のムンバイ）の都市部での死亡率は30％程度（欧米諸国の10倍以上）でしたが、農村部では62％にはね上がりました。

さらに、当時の経済状況も追い打ちをかけます。この年、モンスーン（日本でいう季節風）によって不作となり飢饉が起こったところに、戦争のために物資を拠出したことで食料が不足し、穀物価格は高騰。人々が栄養不良に陥ったことで肺炎などの重症化を招いたと考えられています。

このインドにおける被害からは、病気そのものだけでなく、飢饉や戦争、公衆衛生などといった別の要因が被害を抑えるうえで重要であると教えてくれます。

またインドと同様に、ヨーロッパの列強の植民地だった当時のアフリカの総人口約1億8000万人のうち、サハラ砂漠以南だけでも死者数は200万人近くにのぼりました。このことからも、スペイン風邪の影響はとくに貧困地域に多大な影響をおよぼしたことがわかります。

クラスターと化した講和会議

ドイツを含む同盟国の降伏後、戦後処理のため、1919年1月から翌年8月にかけて戦勝国のアメリカやイギリス、フランス、日本ら32カ国による講和会議がフランスのパリで開かれました。このパリ講和会議において、ドイツに対して巨額の賠償を迫るイギリスとフランスに対して、アメリカ大統領のウィルソンはドイツへの過度の賠償に反対しました。ウィルソンは国際連盟の設立を提唱するなど国際協調主義の立場だった人物です。

会議中の1919年4月、ウィルソンがスペイン風邪を発症します。何とか回復したものの、以降のウィルソンは覇気を失っていました。それもあってか、イギリスやフランスの強い主張に押し切られ、巨額の賠償がドイツに課せられるのです。この賠償額への不満が、のちにドイツでナチスが台頭する要因となりました。

ウィルソンが急に気落ちしたのは、スペイン風邪の影響という説もあります。インフルエンザに罹患すると、免疫細胞の神経作用の関係で鬱病を発症する確率が高くなるからです。

帰国後のウィルソンは、孤立主義を掲げて国際連盟への参加を拒むアメリカ議会の意向を変えようと、遊説して民衆に直接訴えますが、その最中に倒れると政務に復帰できなくなります。こうしてアメリカが参加しないまま、1920年に国際連盟は発足しました。

パリ講和会議には、西園寺公望《さいおんじきんもち》を団長として、牧野伸顕《まきののぶあき》や珍田捨巳《ちんだすてみ》らが日本代表団として出席していました。そして、日本代表団の多くがスペイン風邪にかかります。交渉力が期待された珍田は解熱して会議に臨み、中国の山東半島におけるドイツの権益の継承や南洋諸島の委託統治といった権利を各国に認めさせました。のちに首相となる吉田茂も一等書記官として会議に出席していましたが、何の病にもかからず元気だったといいます。

パリ講和会議の終了した1920年8月ごろ、第三波が世界中を襲います。ただし、肺炎となる割合は低く、ただの風邪のようにゆるやかなものでした。1921年初頭に患者数は増加しますが、4月以降には患者数が減少していき、6月には収束していったのです。スペイン風邪は発生から収束までに、のべ3年もの月日がかかりました。

スペイン風邪の流行により、著名な人物の命が奪われ、またはおびやかされていました。たとえば、ドイツの社会学者マックス・ウェーバー、オーストリアの画家エゴン・シーレとグスタフ・クリムトです。絵画『叫び』で有名なノルウェーの画家ムンクは発病するも回復し、のちに『スペインかぜの後の自画像』を描いています。

日本でも猛威を振るう

1918年4月、尾車《おぐるま》部屋に所属する真砂石《まさごいわ》ら3人の力士が謎の風邪で急死しました。ほかにも20人の力士が日本統治下の台湾に巡業中、同じ症状で倒れます。

この謎の風邪は、日本本土にもどってきた力士から角界へ、そして軍隊、学校へと広がっていきました。そのため、世間では謎の風邪を「相撲風邪」「力士風邪」と呼ばれるようになります。そして、この相撲風邪の正体が日本における最初のスペイン風邪であったといわれています。

日本でもスペイン風邪は三度流行しました。1918年8月に第一波が、10月ごろに第二波が襲来しました。第一波では罹患数2117万人、死者数およそ26万人でしたが、第二波では患者数は241万人と10分の1に減ったものの、死者数13万人あまりと、死亡率は第一波の4倍超にはね上がりました。

第一波下の高知県では看病のための氷が足りなくなり価格が高騰。それまで1貫12〜13銭（現在で1500円相当）だった氷が、50銭〜1円と爆発的に値上がりしました。栃木県ではニワトリが卵を産まなくなり、鶏卵の価格が暴騰しました。これはヒトからニワトリにインフルエンザが感染し、産む量が減ったためと考えられています。

第二波では、群馬県の孤立した山村において一家全滅、あるいは村民のほとんど全員が病に伏せたうえ、数十人が亡くなったという報告もあります。

流行とともに、政府から道府県へのマスク着用や帰宅時のうがいなどの感染予防策の通達が行われ、ポスターも制作されました。とくに劇場や映画館、電車内、芸妓や娼妓、理髪店といった接客業ではマスク着用が求められたものの、営業停止や休業が徹底されることはありませんでした。これらの活動によって、日本人の間でマスクの着用が浸透、定着していくのです。

当時の日本でも欧米と同じく、インフルエンザの原因については細菌説が有力とされていました。1918年には対抗策として、北里研究所と東京帝国大学伝染病研究所（現在の東京大学医科学研究所）がワクチンを製造しました。その際、原因菌がインフルエンザ菌か肺炎双球菌のどちらか決めかねたため、両方の菌を使った混合ワクチンがつくられ、497万人がそのワクチンを接種しました。

近年、千葉県睦沢町で見つかった資料によると、1人分のワクチン代金は7銭（現在で800円相当）でしたが、製造が間に合わず、接種時期が遅れるとの通知がありました。このワクチンは二次感染である肺炎には効きましたが、スペイン風邪に効果はありませんでした。

当時の日本の人口は5600万人。第三波までにその半数を超える2380万人がスペイン風邪を発症し、およそ39万人が亡くなりました。年齢別の死亡率を見てみると、乳幼児を除いて男性だと30～34歳の層が、女性だと25～29歳の層が最も高いことがわかっています。通常の死亡率は体力面で劣る高齢者の割合が高いため、スペイン風邪がいかに異常であったかがわかります。

当時人気を誇った劇作家の島村抱月《しまむらほうげつ》、東京駅を設計した建築家の辰野金吾《たつのきんご》が感染して亡くなっています。首相の原敬や蔵相の高橋是清、随筆家の内田《うちだ》百閒《ひゃっけん》、彫刻家の高村光太郎らは発症しましたが回復しています。小説家の芥川龍之介は助かったものの重症だったらしく、病床で「見かへるや　麓の村は　菊日和」という辞世の句を残していたほどです。

日本の人口の半分以上が感染したということは、全世界人口の３分の１から半分がかかったという予測とくらべて、いかに流行したかがうかがえます。

意外だった世界経済への影響

２年にわたって流行したスペイン風邪は、当時の世界の総人口約18億人のうち５０００万人以上、割合にしておよそ２・８％もの人を死に至らしめました。

しかし、世界経済全体に与えた影響は意外なことに、ほとんどなかったとされています。その理由としては、流行の時期が第一次世界大戦と重なったこともあるでしょう。列強であったドイツやオーストリア、ロシア、トルコなどでは政権が崩壊します。戦勝国となったイギリスやフランスも疲弊するなど、ヨーロッパ経済の落ち込みは深刻でした。

半面、戦場にならなかった地域では戦争による特需によって急速に経済が発展したのです。その代表格であるアメリカはヨーロッパへ物資や兵器を輸出するなどして債務国から債権国となり、ついには世界一の大国にのし上がり、現在までその地位をゆずっていません。

同じく戦場とならなかった日本も、第一次世界大戦中は好景気にわきました。ヨーロッパ各国に代わって、アジアとアフリカ諸国に繊維などを輸出していたのです。また、欧米諸国からの輸入が途絶えたことから国内で重化学工業が発展します。造船業においては１９１３年に約5万トンだった建造トン数が、１９１８年には62万トンにまで急増しました。

スペイン風邪の流行下にあっても、戦争特需にあった日本は、農業国から工業国、債務国から債権国へ変貌を遂げるなど経済が躍進します。同時に三井、三菱といった財閥が業績を伸ばし、中でも、商社の鈴木商店は戦争での鉄不足を見越して、三国間貿易で大儲けし、頭一つとび出しました。

しかし、第一次世界大戦が終結してしばらくすると状況は一変します。ヨーロッパ各国が徐々に復興して輸出を再開させたのと対照的に、日本の輸出量は低下していきました。1920年には生産が輸出を上回り、モノ余りの状態となったことから日本企業の株価は急落します。この戦争特需からの反動と、スペイン風邪の第三波の襲来とともに、日本は戦後恐慌に陥ったのです。栄華を誇った鈴木商店も恐慌のあおりを受けて破綻します。

これ以後も、1923年の関東大震災による経済への打撃、1927年の片岡蔵相の失言による銀行の取りつけ騒ぎを発端とした金融恐慌、1929年の世界恐慌と、1920年代はいくつもの経済危機が日本を襲います。やがて日本は、活路を求めて大陸への進出をはかり、諸外国との対立を深め、戦争への道を歩んでいくことになるのです。

ほかの感染症とくらべても、スペイン風邪ほど爆発的に感染が広がり、かつわずか数年の間に多くの命が失われたことは、人類史上において初めてのできごとでした。

それにもかかわらず、スペイン風邪のことは第一次世界大戦の陰に隠れ、世界史の教科書でも大きく取り扱われていません。

そして21世紀に入っても、インフルエンザのパンデミックは起こっています。２０09年２月にはメキシコでブタ由来の新型インフルエンザが発生し、６月にはＷＨＯがパンデミックを示す最高値フェーズ６に警戒水準を引き上げました。この流行によって世界で28万４５００人が死亡しました。このインフルエンザワクチンは開発されていますが、統計から新型のインフルエンザは30～40年周期で流行すると考えられており、今なお、インフルエンザの脅威は続いているのです。

1980年代になってから広がった免疫機構を破壊する「エイズ」の脅威

20世紀の後半に急速に広まった感染症の代表格は、エイズ（後天性免疫不全症候群）でしょう。ヒト免疫不全ウイルス（HIV）によって免疫機能を司るT細胞が破壊されるため、健康体ならば抑制できる感染症に対しても免疫が十分に働かなくなり、肺炎や悪性の腫瘍を併発して急速に衰弱し、重症の場合は死に至ります。

HIVは、性交渉、輸血、感染者に対して使用した注射針の再利用などによって感染し、通常の身体接触で感染することはありません。

エイズが世界的に注目を集めるようになったのは1980年代ですが、じつは、少数ながらも1950年代から感染例が見られます。HIVは、アフリカ大陸の中部に生息するチンパンジーやゴリラほか、野生の霊長類が感染するウイルスから変異して人間にも感染するようになり、アフリカ各地での交通網の発達によって拡散したと考えられています。

1981年にはアメリカでエイズ感染者が確認され、2年後にHIVが発見されました。初期には男性の同性愛者の間で性交渉による感染者が多く見られたため、感染者に対する差別も起こりましたが、ほどなく異性間での性交渉や輸血による感染の事例も知られるようになります。日本では1980年代、出血したとき血液が固まりにくい血友病患者が、HIVが混入した血液製剤を投与されて、HIV感染者およびエイズ患者が多発し、1996年に当時の厚生省が責任を認めて謝罪しました。

21世紀に入って以降、対HIV剤の普及である程度まで発症を緩和できるようになりました。しかし、現在も多数の新規感染者が発生しており、全世界の感染者は2019年の段階で3790万人、とくにアフリカ大陸のサハラ砂漠以南の地域では2560万人もいると推計されています。

コレラ

—cholera—

もともと特定の地域にだけ流行していたコレラであったが、貿易の拡大によって人の移動が活発になったことにより、世界各地へと広がっていった。

その後、人口が急増して過密化した都市にもコレラが発生するようになると、感染が起こらないよう、都市のインフラの整備が進められていくきっかけとなっていくのだった。

インドにおける風土病

現地では「ガンガー」と呼ばれるガンジス川は、ヒマラヤ山脈を源流とし、インドの北東部を流れ、やがてベンガル湾に注ぐ、全長2525キロメートルの大河です。ヒンドゥー教においては川自体が神格化され、河畔にはヴァーラーナシー（バラナシ）をはじめとして多くの聖地が存在します。

ガンジス川の水はすべての穢《けが》れを洗い流すとされ、ヒンドゥー教徒は頭までつかって沐浴《もくよく》します。日本人の旅行者の中にも、記念に沐浴する人はいますが、勧められる行為とはいえません。なぜならば、ガンジス川の衛生レベルは著しく低いからです。

ガンジス川の汚染は下流に行くほどひどくなっていきます。人々の生活排水や工業排水が上流から流されているからです。そのため病原菌が多く、2018年にヴァーラーナシーで行われた調査によると、100ミリリットルあたり500個、基準値の9〜20倍にあたる量の大腸菌が検出されています。しかも、検出されたのは大腸菌だけではなく、より厄介なコレラ菌がひそんでいました。このコレラ菌を原因菌とし、ベンガル地方のデルタ地帯を発生起源とする感染症こそが、コレラです。

インド最古の医学書『スシュルタ・サンヒター』には、脱水症状を起こして死ぬ病気の記述があり、これがコレラに関する最古の記録と考えられており、紀元前7世紀ごろと見られています。

極度の脱水症状で死に至る

コレラ菌は元来、ガンジス川の藻類《そうるい》、もしくは甲殻類と共生関係にあった細菌と考えられています。空気感染もせず、体液の接触でも感染せず、保菌者の排泄物によって汚染された水や食物を人が摂取することで感染します。口から体内に侵入したコレラ菌が、小腸で増殖するのです。

感染からほぼ1日以内で、コレラ菌は下痢を引き起こします。軽症なら数度の軟便で完治しますが、重症化すると、はげしいおう吐と下痢に襲われます。このときの下痢は「米の研ぎ汁様」と称される白色、または灰白色で、甘くて生臭いにおいが特徴の水様便です。この水様便が1日に10リットルから数十リットルも垂れ流されるのです。療養中の便の総量が体重の2倍におよぶこともめずらしくありません。

大量の水様便を排出するのは、コレラ菌が小腸の壁を攻撃するためです。小腸には食物から水分を吸収したり、逆に体内から余分な水分を排出したりする役割があり、コレラ菌の毒素が小腸に大量の水分を排出するよう仕向けます。最悪のケースでは、症状が現れてから数時間のうちに体重の30％にあたる水分が排出されることもあります。こうして重症患者は極度の脱水状態となり、血圧が低下し、筋肉の痙攣《けいれん》などが起こって、腎不全や昏睡状態を経て死亡するのです。

コレラの語源もこの下痢に関係しています。古代ギリシアの医師ヒポクラテスは、血液、粘液、黄胆汁、黒胆汁の4種類を人の基本体液とする「四体液説」を唱えました。そして下痢を起こすのは黄胆汁の異常によるものと考え、この症状に黄胆汁を意味するギリシア語「χολη」と、流出を意味する「ρευ」を組み合わせた「χολερα（コレラ）」と名づけたのです。

ただし、コレラはインドの風土病であり、古代ギリシアで使われていたコレラとは、別の食中毒であると考えられています。英語の呼称である「cholera」が初めて使われたのは1384年ごろといわれています。

それでは、コレラの治療法はどういうものでしょうか。じつは思ったよりも簡単な方法で、失われた水分と塩分を口や静脈注射により補給するのです。近年では、治療に水分と電解質が調整された経口補水液（ＯＲＳ）が使用されています。これを用いれば、医師が少なく満足に点滴の行えない発展途上国でも、迅速に治療できます。

１９７１年に起こったバングラデシュ独立戦争の折、隣接するインド国内の難民キャンプでコレラが発生し、死亡率が30％に達する事態となりました。このとき、カルカッタ（現在のコルカタ）でアメリカのジョンズ・ホプキンス大学の研究所による経口補水液を用いた治療により、死亡率を3・6％まで劇的に下げた記録があります。この成果はイギリス医学誌に「20世紀最大の医学上の進歩」と賞賛されました。

ただし、この経口補水液を補給するだけというシンプルな治療法に至るまで、人類は迷走を続けたのです。

イギリスのインド進出によって伝播

18世紀まで、コレラは主にインドなどで局所的に発生する風土病に過ぎませんでした。ところが19世紀に入ると、世界中で流行するようになり、1817年の1回目から現在まで、計7回のパンデミックが起こっています。

世界的に広がった要因の一つは、コレラ菌の特性にあります。極度の高温には弱いものの、氷点下でも活動できるほど生命力が強いため、世界のさまざまな環境下にも適応できたのです。さらに、感染してからの潜伏期間を経て、発症までの時間が極めて短いことも蔓延に拍車をかけました。

しかし、世界に拡大していった一番の要因は何といっても移動手段の発展です。大航海時代が本格化を迎えていた1600年代、イギリスは東インド会社を設立し、東アジアにも進出するようになりました。やがて、商売敵であったオランダとフランスを追いやり、1757年のベンガル太守が率いる軍勢とのプラッシーの戦いに勝利し、インドの支配権を得ました。そして、イギリスの東インド会社がインドの植民地統治機関となります。

産業革命期にあたるこのころ、イギリスはインドを綿製品の市場にすると同時に、綿花の生産地として植民地化します。そして、インドで栽培した麻薬のアヘンを中国の清《しん》朝へと輸出し、代わりに清の茶をイギリス本国に輸入する三角貿易を推し進めました。

こうした軍事活動と貿易の拡大により、人の移動が生まれ、コレラはインドから世界へと散っていったのです。

コレラの初めての世界的流行は1817年8月でした。カルカッタから北東へおよそ160キロメートルの地で発生したコレラの流行は、またたく間にベンガル地方全域からガンジス川流域へと広がりました。当時、インド中央部には1万人のイギリス軍が展開しており、そこをコレラが直撃。1カ月間で3000人あまりの死者が出たといいます。翌1818年にイギリス軍が北インドを経由してインドの他地域へ移動するとともにコレラもインド各地に広がりました。

またこのころ、イギリスは中東のオマーンと交戦中でした。1820年、インドのボンベイ（現在のムンバイ）からオマーンへイギリス軍が派遣されたことで、コレラはアラビア半島に上陸。そこから北アフリカにも広がり、エジプトでは1日で3万3000人が亡くなったともいわれています。

この第1回目のパンデミックは日本を含めた東アジアにも広がりましたが、ヨーロッパに到達しないまま、1823年に収束しました。

2回目のコレラの大流行における感染ルート

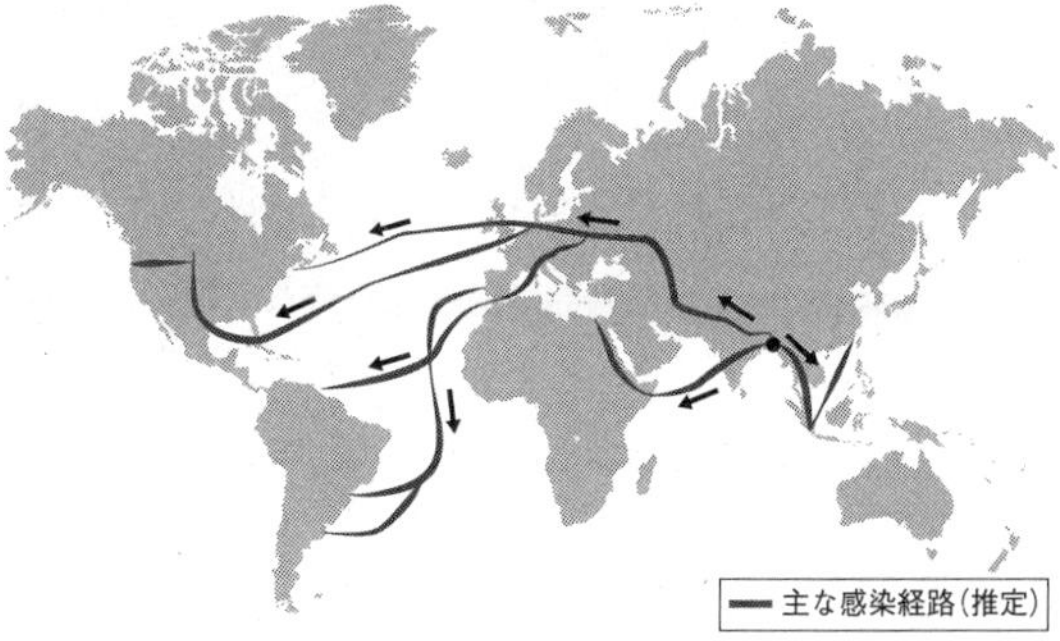

人が密集する戦争や巡礼を介して、コレラは世界へ拡大していった。

日経ナショナルジオグラフィック社『ビジュアル パンデミック・マップ』p95の図をもとに作成

ヨーロッパに到達する

2回目のパンデミックは世界規模で発生し、〝ペストの再来〟と恐れられるほどでした。1826年、インドのベンガル地方から発生したコレラは、同年のうちに東南アジアや中国の清朝に伝播しました。1830年には、ロシア帝国の重要都市モスクワに到達します。低温に強いコレラ菌は、ロシアでも活動できたのです。

1831年4月、ロシア軍と戦火を交えていたポーランド独立軍でコレラ患者が見つかり、10月にはドイツ連邦に属するハンブルク、同時期には海を渡ってイギリス北東部の港町サンダーランドに到達しました。そこから、アメリカやカナダへ、スペインから南米へと世界へ広がっていきました。

イスラム教の聖地である中東のメッカでは、1831年に巡礼者の間でコレラが流行し、およそ1万2000人が死亡しました。以降1895年までメッカでは16回流行したといいます。メッカへの巡礼によって中東各地にコレラが伝播します。

2回目のパンデミックは1837年に収束しますが、弁証法などで知られるドイツの哲学者ヘーゲル、エジプトのロゼッタ・ストーンを解析したフランスの研究家シャンポリオン、プロイセンの将軍であり『戦争論』の著者であるクラウゼウィッツ、そしてフランスのブルボン王朝最後の国王シャルル10世といった人々が命を落としています。

なお、このときはコレラが日本に伝わることはありませんでした。

インチキ薬が生んだビジネスモデル

1830年代におけるコレラの対症療法は、主に3種類存在しました。

第一に特効薬として用いられたのが、甘汞《かんこう》です。甘汞は塩化第一水銀のことで、当時は下剤や虫下しとして使われていました。古代ギリシア以来の四体液説より、病気は体液の不均衡が招くとされ、下剤によって乱れた体液を排出することで治療できると考えられていたのです。

しかし、甘汞を用いた治療は水銀中毒となる可能性が高いうえ、ただでさえ脱水状態にある患者から水分を奪ったため、症状を悪化させました。そのほかにも、ヒマシ油やブランデーを処方する医師もいましたが、同様に脱水作用を起こすため危険な医療行為でした。

第二にアヘンが薬として用いられました。アヘンは麻薬ですが、当時は痛みをやわらげ、気管支と胃腸からの過剰な粘液の分泌を抑える万能薬として珍重されていました。しかも安価であったため、19世紀前半のイギリスの各家庭に常備され、子どもから老人まで使用していたといいます。

しかしながら、依存性が高く、中毒となることが危惧されていました。アヘンを投与されたコレラ患者が数時間で死亡する例が頻繁に起こっていたとの記録がありま す。もちろん、アヘンはコレラの治療に有効ではありませんでした。

第三に瀉血が行われました。四体液説にもとづき、悪い血液を抜くことで健康を回復しようとしたのです。瀉血もまた万能の治療法として、昔から病人に施されてきました。脳溢血《のういっけつ》や喘息《ぜんそく》、コレラやペスト、赤痢などの感染症はもちろん、打ち身、性病、精神病などあらゆる疾病で用いられ、患者も医療行為として受け入れていました。ただし、これも効能はありませんでした。医学の発展により、1860年代以降、瀉血自体が古い技術と見なされて施術されることはなくなります。

これらの治療法が用いられていたころ、1831年にイギリスの医師オショーネシーが塩類溶液静脈注入法（オショーネシー法）という治療法を提唱しました。オショーネシーは、重症のコレラ患者の血液を検査し、血中の水分や塩分が著しく失われていることに着目。そこで瀉血ができないほどの重症患者向けとして、塩と水の溶液を静脈注入する治療法を発案したのです。

この治療法は間違っていませんでした。1日のうちに患者の静脈に40ポンド、およそ18リットルもの塩類溶液が注入されました。治療は有効であり、イギリスのウォリントンという都市では、オショーネシー法と瀉血を同時に施したコレラ患者の7人全員が回復しました。瀉血なしの場合、2人が死亡、23人が回復するという良好な結果でした。

ただし、治療法としては正しかったのですが、オショーネシー法が主流となることはありませんでした。医師からいかさま師まで、さまざまな人々が調合した効果が不確かな特許薬や、提案した多数のコレラ治療法が広告として派手に新聞に掲載されたことで、オショーネシー法は埋もれてしまったのです。

このさまざまな薬の新聞広告こそ、現代における「広告」というビジネスモデルの基礎となります。イギリスでは19世紀末まで、特許薬のメーカーが新聞の筆頭広告主となっていました。というのも、特許薬メーカーは、商標やスローガン、ロゴなどの宣伝効果に気づき、薬の製造費が少ないこともあってマーケティングに資金を注ぎ込んだからです。美辞麗句に彩られた、効果が不確かな薬の広告が新聞紙上に氾濫しました。

コレラの治療には水分補給が有効であると再び実証されるのは、1920年ごろになります。カルカッタにおいてイギリス人の病理学者ロジャースが水分補給をコレラの治療に取り入れ、死亡率を大幅に下げたのです。1940年代になると、ORSが開発されはじめ、コレラの治療法が確立されていきました。

ロンドンの公衆衛生が向上

3回目の流行は1840年から1860年にかけてでした。第一波が1817年から1823年まで、第二波が1826年から1837年まで猛威を振るいました。

やはり、インドから発生したコレラが再びロンドンを襲います。当時のロンドンは円周50キロメートルの範囲に250万人もの人が居住する超過密都市でした。農業革命と産業革命を経て、19世紀初頭には100万人だった人口が爆発的に増大していたのです。そのため、下水処理施設などのインフラ整備が追いついておらず、住民の排泄物は汚水溜めに一度集められ、そこから下肥屋《しもごえや》によって城壁外の農家に売られていました。

すでにこの時代、水洗トイレが普及しつつありましたが、排水はすべて汚水溜めに流し込むつくりだったため、あっという間に満杯となり汚水があふれ出たといい、ロンドンの衛生環境はよくありませんでした。

1854年8月、ロンドンのソーホー地区ブロードストリートで、乳児がコレラに感染します。それからすぐにコレラは一帯に広がり、死者も出ました。

当時のイギリスでは、コレラの原因は悪い空気のせいだとする瘴気説が主流でした。そこでロンドンは原因と推測される悪臭を根絶するため、汚水溜めを廃止したうえで下水道の整備を進めます。その一方で排泄物を含んだ汚水をテムズ川に流すようにしたところ、テムズ川は、巨大な汚水溜めと呼ばれる事態に陥りました。

そんな中、瘴気説に疑問を持つ人物が現れます。ヴィクトリア女王のお産の際に麻酔を施したこともある医師ジョン・スノウです。

「疫学の父」ともいわれるジョン・スノウ(Science Photo Library /アフロ)。

スノウは、隣り合った部屋の住民でも同じ悪臭がある環境にもかかわらず、コレラに感染しない人がいることに気づき、飲料水の水源や水道会社の違いによって罹患率が異なるという結論にたどり着きました。そして瘴気説を否定し、コレラの「飲料水媒介説」を提唱します。

スノウはコレラの発生源を特定するため、死者が出た地域を調べ、それをもとに地図を作成します。すると、ブロードストリートにある井戸付近が最も死者が多く、近所にありながらも感染者がいなかった救貧院は独自の井戸を掘っていたことをつきとめました。

発生源がブロードストリートの井戸だと確信したスノウは井戸水を検査します。ところが、スノウが顕微鏡で井戸水を検査しても異常は見つかりませんでした。当時の技術では見つけられなかったのです。

それでもスノウは行政に掛け合い、井戸のポンプの柄を取り外して、使用禁止とします。すると、ブロードストリートに蔓延していたコレラは収束していきました。

その後、くわしく調査してみると、最初にコレラにかかった乳児の糞尿を洗った水が汚水溜めに捨てられていました。さらに、その汚水溜めを囲むレンガが腐食しており、そのすぐ近くにくだんのブロードストリートの井戸があったのです。2カ所の間にある土は、人の汚物でドロドロだったといいます。

こうしてスノウは、地図と感染者のデータを用いて感染の拡大防止に成功し、テムズ川の汚染を問題化したのです。スノウはこの事績により、「疫学の父」と呼ばれるようになり、作成された地図は感染症に関する現代の教科書に必ず取り上げられています。ただし、スノウの活躍以降も瘴気説を強く支持する人々はいました。

1858年6月、後年に大悪臭と呼ばれるテムズ川河畔一帯に悪臭が立ち込める事件が起こります。しかし、この時期の感染症の死亡率が平時と変わらなかったことで、感染症は瘴気によるものという考えが否定されるに至ったのです。

大悪臭はさらに、ロンドンの下水道の増築を促すことになります。1865年にテムズ川に並行するように、北側に3本、南側に2本の幹線下水溝が設置され、汚水がとどまらないようにロンドンの東側でテムズ川の下流に合流させました。それも1887年以降は外洋へと投棄されるようになります。

下水道の整備によって衛生的となったテムズ川から悪臭が消え、魚がもどり、飲料水も清潔になりました。そして何より、1866年以降はロンドンでコレラの集団発生がなくなったのです。

なお、現在の価値に換算して、2億5000万ドルもの金額をかけてつくられたこの下水道システムは、現代のロンドンの排水処理システムの基幹となっています。そして、公衆衛生の重要性を認識させることになったコレラは皮肉にも「衛生の母」と呼ばれています。

現地に乗り込み原因菌を発見

4回目のパンデミックは1863年から1879年にかけて起こりました。伝染地域はヨーロッパや中国、中東、南北アメリカ、アフリカ大陸と最大規模の流行となります。5回目は1881年から1896年です。いずれもインドを起点とし、流行の中心はエジプトとなりました。

1883年、ドイツ政府の要請で39歳だった細菌学者のロベルト・コッホがコレラ流行下のエジプトに降り立ちます。コッホは前年に結核菌を発見し、結核が伝染病であることを証明していました。

同時期、フランスは狂犬病などのワクチンを開発した細菌学者のルイ・パスツールをコレラの研究のためにエジプトへ派遣しようとしていました。ドイツとフランスは、1871年まで行われた普仏戦争以来、険悪な関係にあり、ドイツはフランスへの対抗心からコッホを派遣したのです。しかし、パスツールは狂犬病の研究をしていたため、エジプトには行きませんでした。

コッホはエジプトでコレラの研究を開始したものの、同地での流行が収まると、政府に頼み込み、インドに渡ります。インド中をめぐって飲料水などを採取し、モルモットを用いた実験をくり返しました。ついには寒天を使った純粋培養によりコレラ菌を発見し、飲み水による媒介、湿気を好む特徴などをつきとめます。

そのコッホに、瘴気説を支持するドイツの衛生学者マックス・フォン・ペッテンコーフェルは難癖をつけてきます。ペッテンコーファーの考えでは、感染者の便からコレラ菌で土壌が汚染されると、そこから瘴気が発生し、コレラの症状を生むというものでした。上水道にコレラ菌が混じることで流行する、というコッホの考えを否定したうえでコレラ菌をみずから飲んでいます。

しかし、多くの動物実験や豊富な証拠により、瘴気説は否定され、伝染説が確定するに至ったのです。

思惑からそろわない各国の足並み

昔からコレラはインドを発生源とし、ヨーロッパへ感染移動する経路は、主に二つあると考えられていました。一つは陸路で、インドから中央アジア、ロシアを経るルートです。もう一つは海路で、インドからインド洋、紅海を経由してヨーロッパに到達するルートです。1865年には、海路を経由したルートでコレラがヨーロッパに侵入して、4回目のパンデミックが起こりました。

翌1866年、オスマン帝国の都コンスタンティノープル（現在のイスタンブール）において、感染症に関して国際的な取り決めの形成を目指す国際衛生会議が開かれ、海からのコレラ流入を防ぐべく話し合われました。

とくに問題となったのは、メッカへの巡礼に向かうイスラム教徒への「海上検疫」でした。海上検疫とは、特定の感染症患者が出た船、または流行地域から来航した船に対して正式の入港を認めず、港内の一定の場所で停船することを命じる措置です。通常は、乗客や乗組員とともに5〜10日ほどの一定期間、下船を禁じられるか、検疫待機所もしくは病院で待機するよう命じられます。

メッカ周辺でコレラが流行した際には、アラビア半島の港とエジプトの港の間で海上検疫の強化が図られます。多くの国もその措置に賛同しましたが、イギリスはロシアやオスマン帝国などとともに反対に回りました。領域内に多くのイスラム教徒がいたからといいます。

ほかにも、検疫の強化はイギリスに根ざしていた国家による貿易統制を最小限にするという自由貿易の原則に反することや、当時のイギリスではいまだ瘴気説が根強く、海上検疫の根拠である接触伝染説に否定的だったことも理由です。ヨーロッパ諸国と異なり、島国であるイギリスでは必ず海上貿易となるため、検疫の締めつけは経済活動の足枷《あしかせ》になるのが目に見えていました。

1874年に、オーストリア・ハンガリー帝国のウィーンで開かれた国際衛生会議において、イギリスはヨーロッパ地域での検疫で医師検査を主張し、一定の合意を得ます。医師検査とは、コレラ流行地から来航した船には医師による検査を行い、コレラ患者もしくは疑われる者のみを避《ひ》病院に移し、そうでない乗客や乗組員の下船を許可するというものです。避病院とは、感染者を隔離して治療することに特化した病院のことです。ただし、紅海周辺では通常の検疫が行われたため、いわゆるダブルスタンダード状態となりました。

なお、国際衛生会議は1851年にパリで初めて開催されて以降、1938年まで14回にわたって開催されることになります。

〝虎狼狸除《ころりよ》け〟は妖怪頼み

日本が初めてコレラに襲われたのは、1回目のパンデミックが起こった1822年のことです。大陸から対馬を経て、貿易の窓口となっていた長崎へ侵入したコレラは広がり、東海道を東上しましたが、江戸には到達しませんでした。コレラに関する情報はオランダ商人から入ってきており、「虎列剌」「酷烈辣」「狐狼狸」といった字があてられました。

2回目のパンデミックの際は、幸いにも日本には侵入しませんでした。

しかし、幕末期にあたる1858年、江戸がコレラにとうとう襲われます。5月に中国の清を経由して長崎に入港したアメリカ軍艦ミシシッピの乗員の中にコレラ患者がいて、そこから広がったのです。7月に江戸まで達したコレラにより、3万人とも4万人ともいわれる死者が出ました。

同年8月、幕府はフランスからコレラ予防の意見書を入手し、予防法や治療法を配布しました。さらに翌月にはコレラで苦しむ民衆に向け、米を52万人分、およそ6万両相当を放出します。

コレラが流行したのと同じ1858年、江戸幕府はアメリカをはじめ、イギリス、フランス、ロシア、オランダと修好通商条約（安政の五カ国条約）を結びました。この条約は、朝廷の許可を得ずに結ばれた日本側に不利な内容だったのに加えて、コレラの流行のタイミングも相まって、民衆の中で幕府に対する不信感と外国に対する抵抗感が募ります。こうして、日本各地で攘夷運動の機運が高まっていくことになるのです。

江戸で死者が多かったのは、江戸の町のつくりによるところが大きかったからといえます。江戸は、神田上水や玉川上水の水が石樋《せきひ》や木樋《もくひ》といった今でいう水道管を通って井戸に流れ込むようになっており、この設備が各町に存在しました。武家屋敷や長屋などから出る排泄物はくみ取り式で、便壺に溜められたあと、下肥問屋により買い上げられ、江戸近郊の農家に卸されて肥料とされました。この便壺からコレラに感染した便が漏れ出て腐った木樋から上水に混入し、飲料水として感染を広げたと考えられています。

同時期のロンドンと同様、都市の上水道のインフラがコレラを蔓延させたのです。

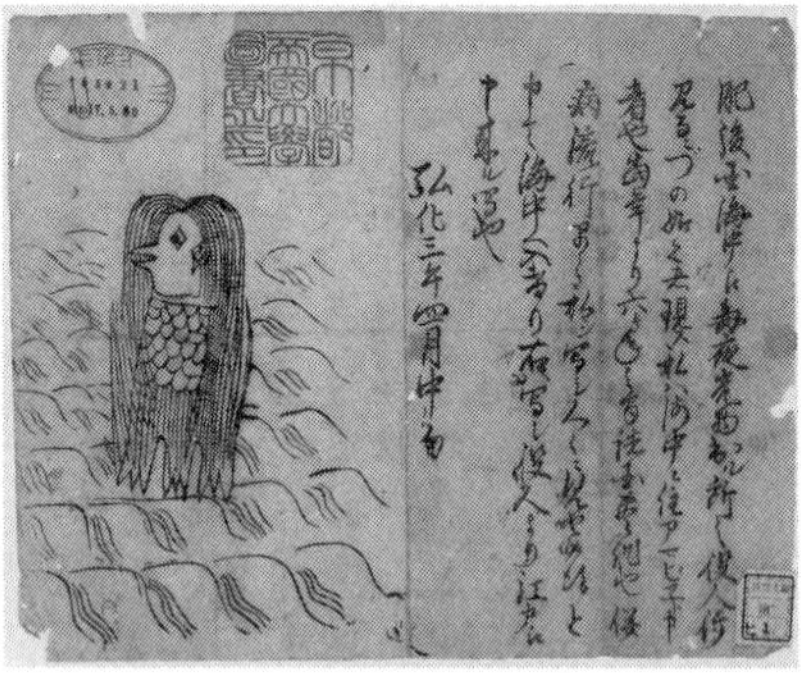

「肥後国海中の怪（アマビエの図）」（京都大学附属図書館所蔵）。

江戸の民衆もコレラの原因は飲料水であると疑い、玉川上水からの水を飲まないようにします。さらに、門には御札を貼ったり神輿を担いだりして、流行り病の退散を願っています。

コレラの原因は妖怪変化や怨霊、たたりのせいとも考えられました。民衆の中には、「長崎に来たアメリカ人が狐を置いていったことでコレラが流行したから、狐を退治しないと流行は収まらない」と信じる人もいたそうです。そのため、三峯《みつみね》神社（埼玉県秩父市）や武蔵御嶽《むさしみたけ》神社（東京都青梅《おうめ》市）などのオオカミを祀る神社への信仰から、関東地方や中部地方では、オオカミの毛皮や頭骨でコレラによるたたりを祓《はら》うことが流行しました。その結果、ニホンオオカミが乱獲され、絶滅を早めたという説もあります。

妖怪でありながら、災害や疫病の神託をする予言獣が流行ったのも幕末です。肥後《ひご》国（熊本県）の海上に現れ、病が流行ったらみずからの姿を描いて人に見せよと伝えたアマビエ、加賀国（石川県）の白山《はくさん》に現れた双頭の鳥（ヨゲンノトリ）はコレラの流行を予言し、「自分を朝夕拝めば難を逃れることができる」と言い残したといいます。肥前《ひぜん》国（長崎県）の平戸でも、人面魚体の姫魚が海中に現れ、コレラの流行と7年の豊作を予言したといいます。

予言獣の流行の背景には、不穏な政情や対処しようのないコレラの蔓延といった社会不安があります。そうした人々の最後の拠りどころは、神頼みならぬ妖怪頼みだったのです。

明治政府による対策

明治時代となっても、日本ではたびたびコレラが流行しました。2、3年ごとに日本でコレラが流行した背景には、江戸幕府の関所の廃止により、人の往来が増えたこともあげられます。

ただし文明開化によって、コレラに関する文献が西欧諸国から多くもたらされ、最新のコレラ対策がとられるようになります。1877年には、内務卿だった大久保利通が『虎列刺病豫防心得書』を通達。これには、フェノールによる消毒や、便所や下水溝の掃除、埋葬の仕方などのコレラ予防法が記載されており、以降の伝染病に対する規則の手本となりました。

とはいえ、大陸を経由してもたらされたコレラが日本で幾度も流行していたため、明治政府は対策として、入港する外国船を検査していました。もし船内にコレラ患者がいた場合は神奈川県、兵庫県、長崎県に設置した避病院に移送するという措置です。

そんな状況が続いた1879年は、日本史上で最もコレラ患者が多く発生した年となりました。3月に愛媛県で発生したコレラは、6月には東日本まで広がりました。新潟県では感染予防のため、魚介類や生鮮食品の販売が禁止され、関係者に経済的な被害がおよびました。しかも洪水による被害が重なり米価が急騰したことで、生活の糧を失った漁師が安価な米を要求して商家を打ちこわし、警察が介入する騒ぎとなります。また一部の暴徒は、警察署や、患者が送られる避病院をも破壊し、鎮圧の際に死者も出ました。

そのため明治政府は諸外国に対して、入港した際に10日の停船を求めますが、イギ

明治期におけるコレラの患者数と死者数

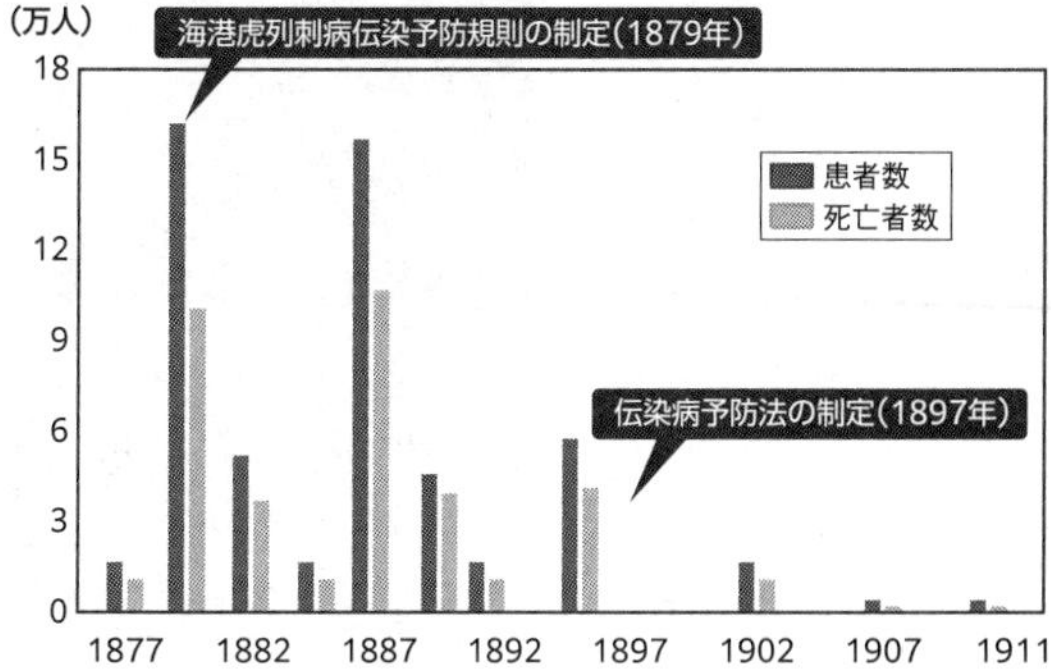

明治中期までコレラは流行するが、予防法の制定以降は沈静化していった。

厚生労働省 HP「平成 26年版厚生労働白書 ～健康・予防元年～」の図をもとに作成

リスとドイツは不平等条約における治外法権を盾に取り強く反対したため、実施できませんでした。イギリス側は商業を優先し、医師検査によるゆるい検疫をゴリ押ししたのです。日本主導による検疫は、1899年の治外法権の撤廃まで待たねばならなかったのです。

1879年7月14日には、日本初の伝染病予防の法令『海港虎列刺病伝染予防規則』が公布されます。なお、これを記念して7月14日は「検疫記念日」に定められました。

1879年のコレラの流行では、届け出があったものだけで患者数16万2637人、死者数10万5786人で、死亡率は6

割を超えました。1886年にも流行し、そのときの患者数は15万6000人あまりで、死亡者は10万8405人を数えました。

その後、1890年、1895年にもコレラが流行しましたが、だんだんと少なくなっていきました。

1894年には日清戦争が始まり、1895年に日本が勝利します。この戦争の20万を超える帰還兵に対して、明治政府は大規模な検疫を実施します。指揮を取った後藤新平は医師ながら、のちに外務大臣にまでなった人物です。後藤は瀬戸内海に浮かぶ似島《にのしま》など複数の島を確保したうえ、6月1日から8月半ばまで、各島で1日あたり数千におよぶ帰還兵の検疫を行いました。

このことからも、当時の政府がコレラをはじめとした感染症をいかに問題視していたかがわかります。

世界的な流行の6回目は、1899年から1923年まで続きました。その最中の

帰還兵の検疫を実施した後藤新平（国立国会図書館ウェブサイトより）。

1920年、神戸において4969人のコレラ患者が発生します。これが現在のところ、日本における最後の流行で、以降、日本国内でのコレラ発生は沈静化していきました。

なお、第二次世界大戦後には、復員兵や引き揚げ者によってコレラによる死者が多数出ています。

多摩地区が東京都になった理由

コレラの予防には、飲料水や環境を清潔にする必要があることは明治時代初期から知られていました。飲み水の煮沸《しゃふつ》の推奨や井戸や下水道の掃除、コレラ患者の取り扱い方などが、明治政府や東京府（現在の東京都）、警視庁によりコレラ発生の都度、公布されています。ただし、当時の日本における財政支出の多くは軍事費に費やされ、公衆衛生まで手が回らず、感染症の流行を抑えることが難しかったといえます。

それでも水の浄化には神経をとがらせていて、1870年に許可された玉川上水の通船がわずか2年で禁止された理由も、水質汚染のためでした。

さらに1873年、東京府は玉川上水の「沿岸諸村編入願」を国に提出しました。玉川上水は神奈川県、入間《いるま》県(現在の埼玉県の一部)、東京府にまたがって流れていて、管理するのが難しかったのです。そこで、東京府は玉川上水一帯をまとめて管理できるようにしたかったのですが、この願いは聞き届けられませんでした。

1889年に甲武《こうぶ》鉄道（現在のJR中央線）が開通し、東京府と神奈川県に属していた北多摩、西多摩、南多摩の三多摩は強く結びつくようになっていました。こうしたことから1893年、首都の水源と水質確保を目的として三多摩を東京府に編入する法律が可決されます。コレラが府境と県境に大きな影響を与えたのです。

パンデミックは現在も進行中

最初のコレラによるパンデミックが発生したのは1817年でした。そして、1961年から現在に至るまでが7回目のコレラのパンデミックの最中であると考えられています。今回はそれまでのパンデミックと傾向が異なっているからです。

これまでの原因菌であるコレラ菌は「古典型」といわれ、症状が重症化しやすいものでした。一方で現在流行中のコレラ菌は「エルトール型」と呼ばれ、感染しても症状が出ないことが多く、出たとしても軽症である場合がほとんどです。発生の起点はそれまでのインドではなく、インドネシアのスラウェシ島で、そこからアジア一帯、東欧、アフリカ、イベリア半島に流行しました。

ところが1990年、インドのカルカッタでエルトール型の変異種が発見されました。この変異種は重症化しやすく注意が必要で、インドからアジア、アフリカ、ハイチへと広がっていきました。

海外渡航の際には、発生地域を確認しなくてはなりませんが、一方で現在、日本国内でのコレラの発症例は海外から持ち帰る以外はほとんどありません。

上下水道の整備が遅れている海外の貧困地域や紛争地域では依然として、コレラは多くの人の命を奪っており、グローバル化した世界において油断ができない感染症なのです。

マラリア

—— malaria ——

現代の日本ではなじみの少ない熱帯性伝染病だが、明治期から戦前、亜熱帯に属する台湾を領有していた日本は、マラリアとの戦いを余儀なくされた。それは、19世紀以降、インドや東南アジアに領土を広げた西洋列強がたどってきた道と同じであった。

マラリアには比較的早い段階でキニーネという特効薬が開発されるが、その原料の確保は、二度の世界大戦の推移をも左右した。

日本軍の敗退の要因は熱帯の病⁉

熱帯地域に多く見られる感染症の代表格がマラリアです。第二次世界大戦の東南アジア・太平洋戦線での日本の敗因は、アメリカとの物量差、広範な戦場に補給が行き渡らなかった点に加えて、この感染症への対策の不備がありました。

1937年の日中戦争の勃発から、1945年の終戦までの軍人および軍属の技師、医療関係者などの戦没者の総数は約230万人とされ、この半数近くが戦病死または餓死だったといわれます。陸軍軍医局の記録によれば、東南アジアや太平洋上などの南方戦線では、戦病者に占めるマラリアの罹患率がトップで15・9％におよびました。

マラリアは蚊に刺されることで人体に病原体が入って感染し、一年中、蚊が発生しやすい熱帯では慢性的な感染症といえます。中国大陸の戦線でも、陸軍の戦病者に占めるマラリアの罹患率は10％と、結核の14％に次ぐ多さでした。

大戦後期、ソロモン諸島のガダルカナル島の戦いでは、日本側の死者約2万人のうち餓死者と戦病死者が約1万5000人、日本軍が東南アジアのビルマ(ミャンマー)からインド東部への侵攻をはかったインパール作戦では、日本側の死者約3万人のうち、戦病死者が8000人以上といわれます。その大部分がマラリア感染者でした。同じく、マリアナ諸島、サイパン島、フィリピン、インドネシア、ニューギニアなど、南方戦線の多くの地域で、多数の将兵がマラリアに倒れています。優秀な戦闘機パイロットが、空で戦えないまま病で命を落とした例も少なくありません。

戦後の昭和30年代には、戦前の東南アジアを舞台にした『快傑ハリマオ』というテレビ活劇が人気を博しました。主人公のモデルは、当時は英領だったマレーシアで日本の諜報員として活動し、「ハリマオ」(マレー語で虎の意)と呼ばれた谷豊という日系人です。谷も、戦時中にマラリアで病死しています。

マラリアに有効な予防・治療薬としては、すでに19世紀より、キナの木の樹皮からつくられるキニーネが普及していました。日本は戦時中、台湾やジャワ島でキナの木を栽培し、キニーネの精製を行っていましたが、大戦後期にはアメリカ軍に制海権を奪われ、キニーネをはじめとする薬剤の輸送路を断たれます。しかも、食料も不十分なため、体力が落ちて弱り切った傷病兵は不衛生な最前線に放置されました。

一方のアメリカ軍は、武器弾薬ばかりでなく医薬品も潤沢に配備し、傷病兵は速やかに野戦病院に送る体制をとり、マラリアなどの熱帯性伝染病を媒介する蚊の駆除にも気を配ったことで着実に進軍していったのです。

この例に限らず、近代に欧米列強や日本が帝国主義を掲げて東南アジアや太平洋上、アフリカ大陸などに勢力圏を広げていった過程は、敵対する国や現地住民ばかりでなく、マラリアとの戦いだったと述べても過言ではありません。

人の赤血球を壊す虫

マラリアを媒介する病原体は、「マラリア菌」ではなく「マラリア原虫」と呼ばれます。原虫（原生動物）は、細菌と同じく微生物に分類され、細胞分裂で増えます。細菌のサイズはおおむね0・2〜10マイクロメートルですが、原虫は1〜20マイクロメートルとやや大きめです。細菌は遺伝情報が蓄積された細胞核を持っていませんが、原虫には細胞核があり、より複雑な構造です。

マラリア原虫は、蚊の一種で羽根にまだら紋様があるハマダラカ（アノフェレス）

を通じて人に感染します。ハマダラカ属は400種類以上いて、太平洋上のポリネシアの一部を除いて地球上のあらゆる地域に生息し、このうち70種類以上がマラリアを媒介します。なお、人から吸血して感染を媒介するのはメスのみです。

たとえば、ペスト菌はノミを中間宿主として人の身体にすみつきますが、マラリア原虫にとって人はあくまで中間宿主であり、ハマダラカが本来の宿主です。ハマダラカによる吸血時に人の血液中にマラリア原虫が入ると、10〜15日ほどで症状が現れます。マラリア原虫は呼気によって体外に出ることはなく、感染者からの輸血などのケースを除けば、基本的に人から人への感染は起こりません。

人が感染するマラリアは基本的に4種類あります。感染者の約96%を占めるのが「熱帯熱マラリア」で、恒常的にはげしい高熱、貧血、悪寒、大量の発汗などの症状が続き、発症から24時間以内に治療しなければ重症化して死に至ります。東南アジアでよく見られるタイプが「三日熱マラリア」です。48時間ごとに発熱が起こり、原虫が肝臓にすみついて、一度全快しても再発する場合があります。「四日熱マラリア」は72時間ごとに周期的に発熱しますが、比較的に軽症で感染例は少なめです。「卵形マラリア」も三日熱マラリアと同じく48時間ごとに発熱が起こりますが、これも比較的に軽症で感染例は少なめです。このほか、少数ながら、サルが感染するタイプのマラリアが人にも感染する例もあります。

マラリアの三大兆候とされるのが、高熱、貧血、脾臓《ひぞう》の肥大（脾腫）です。マラリア原虫は人体内の赤血球を破壊するため、赤血球による酸素の運搬が阻害されて貧血が起こり、傷ついた赤血球が貯まる脾臓が大きく腫れるのです。

古代エジプト王の遺骸が語る秘密

人類とマラリアの接触は、天然痘やペストよりも古く、約50万年前ともいわれます。トルコ内陸のチャタル・ヒュユク遺跡から発掘された約8000年前の人骨には、マラリア感染を原因とする貧血を患っていた形跡が見られます。

古代エジプトの王の中でも、黄金のマスクをはじめとする豪奢な副葬品で知られる紀元前14世紀のエジプト第18王朝のツタンカーメン王は、遺骸のDNAを調査した結果、マラリアが死因だったという説が唱えられています。

ただし、ツタンカーメン王の一族は、遺伝性の疾患である鎌状《かまじょう》赤血球症を患っていたとの見方もあります。正常な赤血球はボールをつぶしたようなだ円形をしていますが、赤血球が鎌の刃のような形をしている鎌状赤血球症の患者は、血液の運搬能力が低く、貧血を起こしやすい体質です。しかし、赤血球を侵食するマラリア原虫に対しては強い耐性を持っています。鎌状赤血球症はエジプトを含む地中海沿岸からアフリカ大陸の住民に多く見られ、この地域ではマラリアが蔓延していたため、遺伝的に鎌状赤血球症の遺伝子を持つ人が増えたと考えられています。

インドで紀元前15世紀に成立したバラモン教の経典『アタルヴァ・ヴェーダ』には、「タクマン」という熱病が登場します。この病は「諸病の王」として恐れられ、「冷たく次いで熱く」「三日目に起こる熱、三日目に休む熱」と記されていることから、周期的に発熱する三日熱マラリア、四日熱マラリアの症状と合致します。

紀元前4世紀、マケドニア王国のアレクサンドロス大王（アレクサンドロス3世）は、現在のエジプト、イランを経てインドに至る東方遠征からの帰途に高熱を発し、現在のイラクに位置した古代都市バビロンで没しました。死因は諸説あり、ウイルス性の感染症である西ナイル熱ではないかと考えられていますが、マラリア説も有力視されています。

西欧の民族分布に影響を与える

古代ローマ時代のイタリア半島一帯において、マラリアは恒常的な風土病でした。イタリア中部から都市ローマを経由して地中海に注ぐティベル川はたびたび氾濫を起こし、流域に小さな池や水たまりができるため、ハマダラカの幼虫（ボウフラ）が生息しやすい環境だったのです。ローマやナポリといったイタリアを代表する都市は当初、マラリアが発生しやすい低湿地を避けるために丘の上に築かれたとされます。

紀元前264年から紀元前146年まで、ローマは地中海の対岸にある北アフリカの都市国家カルタゴ（ローマ側の呼称はポエニ）との間で、三度にわたる戦争（ポエニ戦争）をくり広げます。この戦争を通じて北アフリカとの往来が増え、ローマにマラリアなどの熱帯性伝染病が持ち込まれることになりました。

紀元前1世紀のローマの学者で、歴史、哲学、農業、建築、医学など多くの分野に通じたヴァロは、その著書の『農業論』で「目に見えない小さな生物が人体に侵入することによって疾病が発生する」という説を唱えました。近代の細菌学を先取りした

ゲルマン人の移動に影響を与えたマラリア

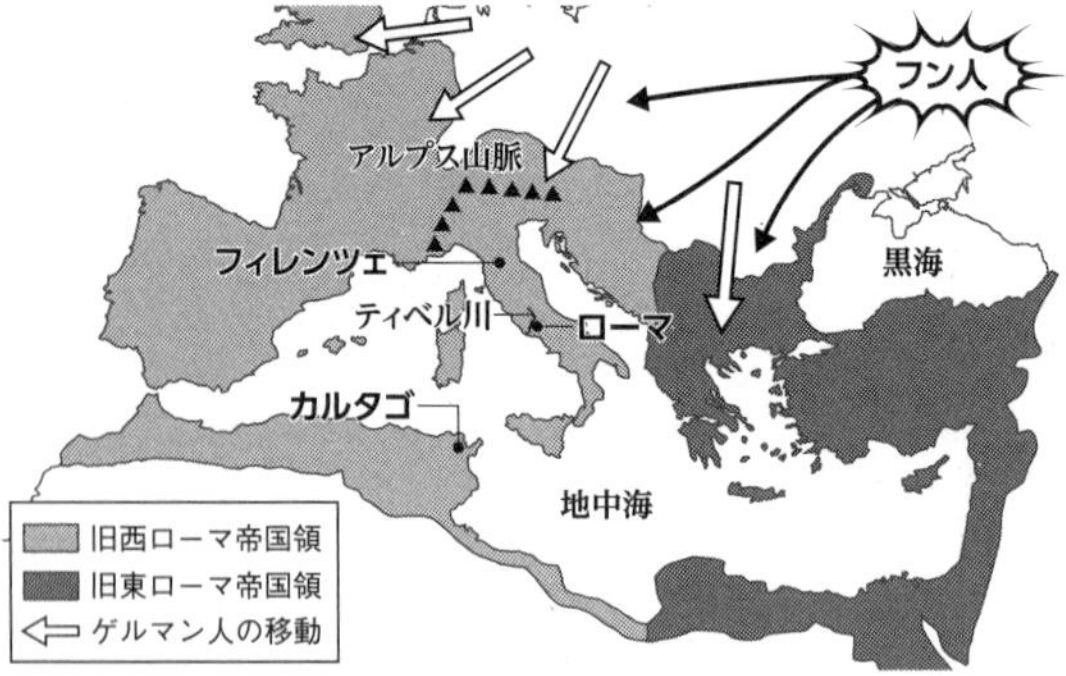

ゲルマン人はマラリアを恐れ、イタリア半島には進出しなかった。

発想といえます。

しかし、ヨーロッパでは近代まで、疾病は湿地などで発生する毒性の空気が原因とする瘴気説が主流でした。マラリア(Malaria)という病名も、イタリア語で「悪い空気」を意味する「mala aria」という語に由来します。

1世紀にローマが帝政となって以降、各地では広大な版図を結ぶ街道の建設が進められたことによって、帝国の各地に疫病が広がりやすくなります。また、帝国の各地で大規模な治水灌漑工事や水道の建設され、暖房や窯《よう》業、冶金《やきん》業で薪を使うため森林の伐採も進みます。

灌漑工事で開削された農業用水路や、森

林の跡地にできた水たまりの多くが、ハマダラカの幼虫の生息地となりました。

ローマ帝国時代に人口の多くが住んでいた地中海沿岸の地域では、サラセミア（地中海貧血）という風土病が見られます。これは鎌状赤血球症と同じく、貧血症を起こしやすい遺伝性の疾患ですが、マラリア原虫に耐性があるため、この疾患の遺伝子を持つ人々が多く生き残ったからではないかと解釈されています。

476年に西ローマ帝国が解体されて以降、西欧では古代ローマ人が残した水道跡でハマダラカの幼虫が大量発生するようになりました。古くからイタリア半島に住むローマ人の子孫の多くは、サラセミアと引き換えにマラリアに一定の耐性を持っていましたが、東方から移動してきたゲルマン人は、イタリア半島に侵攻するとマラリアに苦しめられたため、アルプス山脈以北の地域に定着することになります。

ただ、南欧の地中海沿岸に住む人々すべてがマラリアに耐性があったわけではなく、アルプス以南の地域ではマラリアがたびたび流行しました。長編叙事詩の『神曲』を著したことで知られるイタリアのフィレンツェ出身の詩人ダンテは、1321年にマラリアで死去しています。これは、ヨーロッパでペストの大流行が起こる直前の時期にあたります。

京都で祇園祭が生まれたワケ

東アジアでも古くからマラリアは猛威を振るっていました。中国の古い医学書には、「瘧《おこり》」、あるいは「瘴瘧《しょうぎゃく》」「湿瘧《しつぎゃく》」と呼ばれる病気が、紀元前から存在していたことがわかっています。これは1日おき、あるいは2日おきなど周期的に発熱や悪寒を発するもので、主に三日熱マラリアを指すと考えられています。

日本では、飛鳥時代の701年に成立した法令『大宝律令』における医薬関係の法令を定めた「医疾令《いしつりょう》」に、初めて瘧についての記述が見られます。このほか、「衣夜美《えやみ》」または「和良波夜美《わらはやみ》」と呼ばれることもありました。

794年に完成した京都の平安京は、朱雀《すざく》大路を挟んで左京と右京に分かれていました。桂川に面する右京は湿地帯が広がっていたためハマダラカが発生しやすく、マラリアが蔓延して住民が減り、荒廃していきます。その一方で左京は発展していきます。平安京は北の中央にある内裏《だいり》からの視点で左右を定めているので、西側が右京、東側が左京です。

古代から中世の日本では、瘧や疱瘡《ほうそう》（天然痘）などの疾病の蔓延は、政争や戦乱で不遇な死に方をした貴人の亡霊（御霊《みたま》）による祟りであると考えられました。このため、9～10世紀には疾病を司る神とされる牛頭天王《ごずてんのう》への信仰が広がり、牛頭天王を祀る祇園祭の風習が生まれ、現在まで続いています。

11世紀に紫式部が著した『源氏物語』では、主人公の光源氏が瘧に感染したという記述が出てきます。ただし、季節は春とされているので、ハマダラカによって媒介されるマラリアではなく、別の病気ではないかという解釈もあります。紫式部と同時期に生きていた藤原道長が残した『御堂関白記《みどうかんぱくき》』にも瘧についての記述があり、道長の側近で源氏の棟梁であった源頼光も瘧に感染したといいます。

平安時代末期に権勢を振るった平家のリーダーである平清盛は、熱病によって死去しました。『平家物語』によれば、その病状は「身中熱する事　火燃ゆるが如し」という壮絶なもので、現代ではマラリアだったという説が有力です。

このほか、日本史上で瘧に感染した著名な人物には、室町時代中期の臨済宗の僧侶である一休宗純がいます。一休は満87歳と中世の日本人としてはかなりの長命でしたが、瘧が持病だったといいます。

キニーネが切り開いた帝国主義

15世紀後半から大航海時代に突入すると、西欧と東南アジア、アフリカ大陸など熱帯や亜熱帯に属する地域との海上交通が活発化し、ヨーロッパ人がマラリアに感染する機会が増えます。南北アメリカ大陸では、中米のアステカ帝国、南米のインカ帝国など多くの地域で白人の征服者(コンキスタドール)による虐待や天然痘の蔓延によって先住民が激減。そのため農場や鉱山での労働力として、アフリカ大陸の熱帯地域から大量の黒人奴隷が連れて来られました。これにより、大西洋を越えて新大陸にマラリアが広まったと考えられています。

1632年、南米で活動していたスペイン人の宣教師が、現在のペルーからキナの木をヨーロッパに持ち帰ります。キナ（キナノキ）はアカネ科に属する常緑高木で、アンデス山脈一帯に住むインカ帝国の人々は、古くからキナの樹皮を乾燥させたものを解熱剤として利用していました。ヨーロッパ人はキナをマラリアの治療薬として活用します。イングランド王のチャールズ2世やフランス王のルイ14世は、マラリアに感染しながらも、キナの樹皮を使用した薬剤によって命拾いしました。
さらに、1820年にはフランスの化学者ペルチエとその義弟のカバントゥが、キナの樹皮から有効成分を抽出して、マラリアの特効薬となるキニーネを完成させます。キニーネは非常に苦く、1日に1グラムを5～10回に分けて服用する必要がありましたが、マラリアの治療だけでなく予防にも大きな効果を発揮しました。オランダは1855年に、キナの原産地であったペルーと気候の似ているインドネシアのジャワ島でキナの大規模な栽培を開始し、キニーネが大量生産されるようになります。

キニーネのもととなるキナ(Shutterstockより)。

かねてよりヨーロッパ人は、東南アジアやアフリカ大陸各地の沿岸部や主要な都市に交易拠点や軍の駐屯地を築いていたものの、マラリアなどの熱帯性伝染病のため奥地までは容易に足を踏み入れることができませんでした。

20世紀初頭の南アジア・東南アジアの勢力

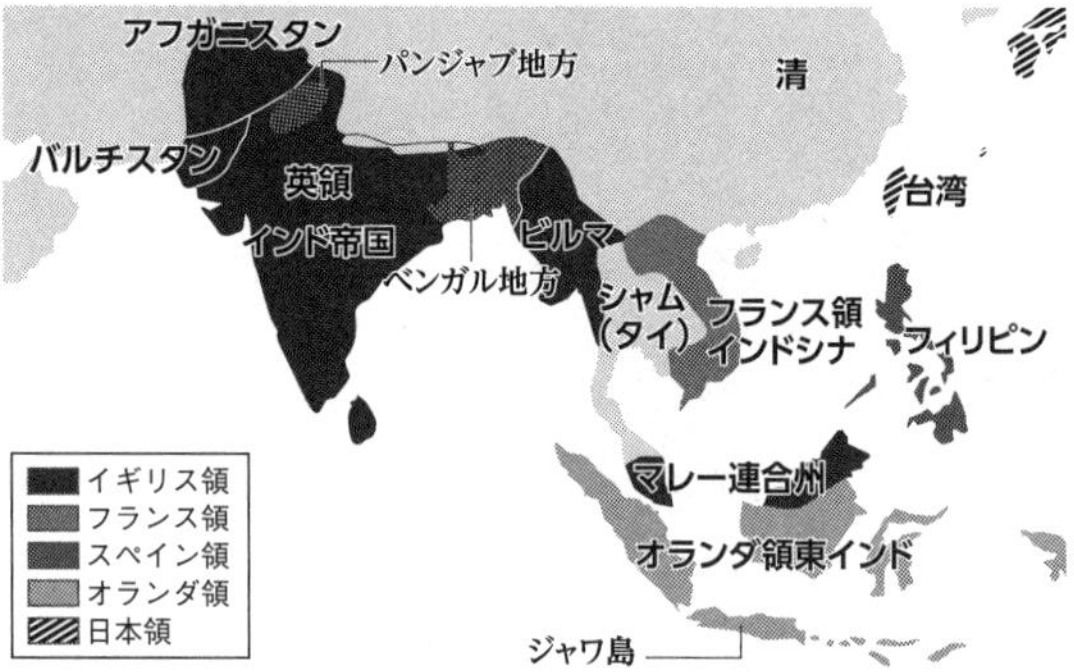

キニーネが普及したことによって、ヨーロッパ列強は南アジアと東南アジアの大部分を支配下に治めることができた。

しかし、キニーネが普及した19世紀後半以降、西洋列強によってアジア、アフリカの植民地化が本格的に進められます。グレートブリテン及びアイルランド連合王国(イギリス)は、1858年にインド全土を征服して英領インド帝国とし、フランスは1887年に現在のベトナム、ラオス、カンボジアを征服して仏領インドシナを成立させました。

アフリカ大陸の大部分は、20世紀の初頭までに、イギリスやフランス、ドイツ、ポルトガルなどのヨーロッパ列強によって分割統治され、大規模農場による農産物や天然資源の供給地、ヨーロッパで製造された工業製品の市場とされます。

大英帝国を苦しめたインドの蚊

アジアやアフリカを征服したヨーロッパ人にとって、マラリアとの戦場となった地域の代表例がインドです。国土の大部分が熱帯もしくは亜熱帯に属するインドは、ハマダラカが発生しやすい環境でした。19世紀後半のインドでは、イギリス支配下での鉄道網や道路網の発達を背景に、マラリアの感染が急速に拡大しました。北東部のベンガル地方に位置するブルドワン市の診療所を例にとると、入院患者のうちマラリア感染者の割合は1865年には約11%でしたが、1868年には約24%、1871年には約40%にまで急増します。

細菌学の発達により、1880年にはフランスの軍医ラベランがマラリア原虫を特定しましたが、マラリアに感染する仕組みはすぐには判明しませんでした。そうした中、インドに勤務していたイギリス人の医学者ロナルド・ロスが、1898年にハマダラカがマラリアを媒介していると証明します。ロスはこの業績によって、4年後にノーベル生理学・医学賞を受賞しました。1899年、イギリスは熱帯医学院を発足

ハマダラカによる媒介を証明した医学者のロス(World History Archive /ニューズコム/共同通信イメージズ)。

させ、植民地政策のため熱帯地域における疾病の感染状況の把握と、予防・治療についての研究を進めます。

ロスはインドでのマラリア対策として、ハマダラカの幼虫の大々的な駆除をイギリスの植民地当局に提唱しました。とはいえ、広大なインドでは地域によって気候やハマダラカの生息環境も異なります。北西部のパンジャブ地方では、大雨による洪水が起こったあとにハマダラカが大量発生して、マラリアが蔓延しやすい傾向がありました。

一方、ベンガル地方では、同じように雨期に川が増水して洪水が起こると、蚊の幼虫のボウフラが生息しにくい濁った水が広がったり、水たまりが太陽光にさらされて高温になったりと、むしろ蚊の発生が抑制される傾向にありました。イギリス人が近代的な治水工事や河川での堤防の建設を進めた結果、水害は減少したものの、かえってボウフラが生息しやすくなった地域もあったといいます。

こうした事情もあり、インドでのハマダラカの撲滅は容易には進まず、キニーネの配布が対策の主力となります。しかし、現地住民はインド古来の伝統医学を信頼し、征服者である西洋人の配る薬を嫌う人も少なくありませんでした。また、白人は熱帯地域の住民に比較してマラリアへの免疫力が低いため、居住区を外部から遮断して現地民を入れさせない隔離政策が取られます。この方針は、白人と現地住民の生活圏を分ける当時の人種差別的な思想とも合致していました。

日本の台湾経営とマラリア対策

明治維新後の日本は、台湾に漂着した琉球の漁民が現地住民に殺害されたことを発端に、1874年に台湾に出兵します。このとき、多くの軍人がマラリアに感染し、政府は戦地での防疫の重要性を痛感することになります。

日本は1895年の日清戦争に勝利したのち、台湾を初めての海外領土として獲得します。亜熱帯地域の台湾は、17世紀の清の時代から漢人の移民が進んでいたものの、内陸部の開発は進んでいませんでした。マラリアをはじめとする熱帯性伝染病の蔓延も一因で、1930年代まで台湾ではマラリアが死因の第1位だったほどです。

日本が台湾統治のため設置した総督府には、民政長官として後藤新平が赴任しました。台湾総督府は後藤のもとで、台湾の産業開発と同時にマラリア対策を徹底します。その主な内容は、蚊の駆除とキニーネの普及でした。後藤と親しい関係だった実業家の星一が設立した星製薬は、キニーネやモルヒネの精製を一手に引き受けて利益を上げます。ちなみに、この星製薬の2代目社長となったのが、星の息子でのちにSF作家となった星新一です。

台湾総督府は1913年に「マラリア防遏《ぼうあつ》規則」を制定し、住民がマラリアに感染していないかを確認するための血液検査も徹底させました。住民の病状把握やキニーネの配布には、現地の警察や住民を10戸単位で組織した伝統的な保甲《ほこう》制度が活用され、防疫を通じて日本は現地住民への影響力を拡大させることになります。台湾におけるマラリア感染者数は、1902年には年間1万3000人以上におよびましたが、それからは減少に転じ、1931年には年間3000人以下になります。

マラリアの制圧が進むとともに、日本は台湾でサトウキビ栽培と製糖、香料や薬品に使われる樟脳の採集などの産業開発を進めました。また、マラリア対策のため台湾に医学校を設立したことで、台湾人のインテリ階層が育成されます。

二度の世界大戦とキニーネ利権

インドネシアのジャワ島は1860年代から世界最大のキナ産地となり、同地を支配していたオランダがキニーネ利権で莫大な利益を上げます。

1914年に第一次世界大戦が勃発すると、連合国に属するイギリス、フランス、イタリア、アメリカは独占的にオランダ領ジャワ産のキニーネを購入しました。これに対し、連合国と敵対するドイツは経済封鎖によりキニーネの入手に苦しみます。こうした状況下、ドイツではキニーネと同様の効果を発揮する薬剤の開発が試みられました。キニーネは高価で、おう吐や発疹などの副作用があり、各国で代替品となる薬剤を人工的に合成する研究が進められており、大戦がそれを加速させたといえます。

ドイツのバイエル社は、1934年に新しい抗マラリア剤のクロロキンを完成させます。クロロキンはキニーネより効果が高いものの、視覚障害などの強い副作用があるためドイツでは実用化されませんでした。

1941年の日米開戦以降、日本がキナ供給源のジャワ島を占領したため、マラリア対策で遅れたアメリカはクロロキンを製造し、蚊の駆除用の殺虫剤「ＤＤＴ」を大量生産します。これらは太平洋戦線だけでなくヨーロッパ戦線でも投入されました。クロロキンとＤＤＴが、第二次世界大戦後期のアメリカ軍の反攻を後押ししたのです。

ジャワ島を支配下に置いた日本の陸軍は月間３００万錠ものキニーネを消費していました。ところが、１９４３年からしだいに太平洋上の多くの地域でアメリカ軍に制海権を奪われ、輸送船の大部分は撃沈され、医薬品も蚊を駆除するための殺虫剤も前線に行きわたらせることができなくなります。この結果、冒頭でふれたように日本の将兵は次々とマラリアに倒れたのです。

マラリアの災禍に見舞われたのは軍人だけではありません。大戦末期、米軍が沖縄に迫った１９４５年３～６月には、日本軍の指示で八重山諸島の住民が西表《いりおもて》島などに疎開させられました。ハマダラカが群生する山林の有病地に移動させられ、さらに医薬品が不十分な状態で人が過剰に密集したこともあって、八重山諸島の人口の半分にあたる約１万７０００人がマラリアに感染し、３６４７人が死亡します。終戦直後も南方の戦場からの復員兵たちによって本土にマラリアが持ち込まれ、日本政府と占領軍はその対応に追われることになりました。

日本製の「蚊帳《かや》」が海外で活躍

第二次世界大戦後、アメリカをはじめ先進国ではキニーネに代わってクロロキンが普及します。さらに、WHOは1955年から1969年まで世界各地で、DDTの大量散布による蚊の徹底的な駆除などの「マラリア根絶計画」を実施しました。この結果、日本やヨーロッパほかの温帯地域ではマラリアがほぼ根絶され、三日熱マラリアと熱帯熱マラリアが併存したインドや東南アジアでも、大幅に感染が抑制されるようになりました。

ところが、1950年代後半から、DDTに耐性を持つ蚊や、クロロキンに耐性を持つマラリア原虫が出現します。1960年代に入るとDDTの強い毒性がもたらす環境汚染が懸念され、先進国ではしだいに使用が控えられるようになりましたが、ほかの殺虫剤に切り替えても、やはり耐性を持つ蚊が現れました。

1960年代になると、アメリカは社会主義国の北ベトナム（ベトナム民主共和国）を倒すため、南ベトナム（ベトナム共和国）を支援してベトナム戦争に介入します。

熱帯に属するベトナムの戦場ではマラリアが蔓延し、クロロキンに耐性を持つ原虫が増加したため、アメリカは再びキニーネに着目しました。その原産国であるインドネシアは、戦後にオランダから独立したのち、初代大統領スカルノのもとで社会主義圏の国々と協調する政策を取り、アメリカへのキニーネの供給を制限します。ところが1965年、将軍スハルトを中心とするクーデターが起こり、スカルノは失脚、インドネシアは親米に政策を転換しました。この政変には、アメリカの中央情報局（CIA）が関与していたといわれます。

クロロキンに続いて、ファンシダール、メフロキンなどの抗マラリア剤が開発されて一定の効果をあげていますが、やはり耐性を持つ原虫が現れています。一方でマラリアに対するワクチンの研究も進められています。しかし、マラリア原虫は成長段階によって身体を構成する物質や構造がめまぐるしく変異し、しかも同じ環境下でマラリアに感染しても発症する人としない人がいるなど、発症の条件も一律ではありません。21世紀に入って以降、マラリア原虫を構成するタンパク質の解析が進んでいますが、現在に至るまで有効なワクチンは実用化されていません。

加えて、アフリカ大陸で熱帯性マラリアが蔓延するサハラ砂漠以南の地域では、蚊によるマラリアの媒介力が非常に高く、幼児期にみながマラリアに感染し、死亡する場合も少なくなく、いったん免疫を獲得して成人すると、マラリアを発症しなくなります。このような「獲得免疫」の状態を重視して、この地域ではＷＨＯのマラリア根絶計画は実施されませんでした。

ＷＨＯはマラリアを結核、エイズとともに「三大感染症」と定めており、世界のマラリア感染者は年間3億～5億人、その90％以上をアフリカ大陸南部が占めます。アフリカ大陸の各国では、政府の公衆衛生支出の40％をマラリア対策が占めています。そのため、貧困世帯の感染者は治療費がかかるうえに教育や就労の機会が失われるため、マラリアがアフリカ諸国の経済成長を1・3％遅らせているともいわれています。

こうした状況下、マラリアを媒介する蚊から人々を守る道具として注目を集めているのが「蚊帳」です。細い繊維を用いた網で屋内を覆って蚊を防ぐ蚊帳は、古代のエジプトや地中海沿岸、中国大陸などで使われていました。日本の住友化学は、アフリカ諸国の企業に殺虫剤成分を織り込んだ蚊帳の製造技術を提供して成果をあげています。２０１５年時点では、サハラ砂漠以南でマラリア感染の危険性がある地域の53％で蚊帳が使用されています。

見逃せない感染症②

江戸幕府の将軍も死に追いやった今もあなどれない「麻疹」

現代の日本では、多くの人が、麻疹といえば、「幼児期にかかる一過性の病気」と思っているのではないでしょうか。しかし、かつては大いに恐れられ、今も世界で多数の感染者が発生しています。

麻疹ウイルスは、空気感染や接触感染によって広がり、潜伏期間は約10日です。発症後は発熱や咳などの症状が見られ、全身に赤い発疹が現れます。感染しやすいのは幼児で、完治すれば免疫が獲得されます。とはいえ、麻疹ウイルスは免疫を司るリンパ組織を侵すため、免疫力が低下し、肺炎などを併発して死に至る事例も少なくありません。なお、麻疹とよく似た症状を起こす風疹（三日はしか）は別の疫病ですが、日本では麻疹と風疹の双方に対応したＭＲワクチンが普及しています。

古代から、麻疹と思われる疫病の記録は、アジアやヨーロッパ各地で見られます。15世紀以降、麻疹は天然痘や結核とともに南北アメリカ大陸に持ち込まれ、多くの先住民の命を奪いました。日本でも江戸時代には20〜30年周期で麻疹が大流行し、第５代将軍・徳川綱吉は、60代になってから麻疹に感染して死亡しました。19〜20世紀にも、太平洋上の島々や北極圏など、過去に麻疹の流行がなく住民が免疫を持たない地域で流行し、多数の死者が発生しています。１８５０年には、当時のハワイの人口の約20％が麻疹で命を落としたといわれます。

日本国内においては、幼児期のワクチン接種による感染予防が定着していますが、２００７年には20代以上の年齢層も含む大流行が起こりました。ＷＨＯによれば、ワクチンの普及が不十分な東南アジアやアフリカ諸国を中心に、現在も世界で年間40万人以上もの感染者が発生しており、５歳未満の乳幼児の死因の１・２％を占めているといいます。

赤痢

―― dysentery ――

戦場をはじめとした不衛生な環境において、飢餓に苦しむ人々に次々と襲いかかった赤痢。19世紀末の明治期の日本においても、上下水道の整備不足といった理由から流行し、多くの命が失われていった。

そのような状況にあって、世界で望まれていた赤痢の病原菌を発見した人物は、まだ年若い日本人の医学者であった。

症状は同じでも異なる病気

新種の細菌が発見されると、当然、その細菌には名前がつけられます。たとえば、犬猫にかまれた部位が炎症を起こすパスツレラ症の原因菌であるパスツレラ菌は、フランスの細菌学者であるパスツールにちなんで名づけられました。そうした中に、日本人が関係して名づけられた細菌があります。それが赤痢菌であり、発見者は医学者の志賀潔《しがきよし》です。

細菌の命名は、国際原核生物分類命名委員会の規約に則ったものだけが認められていて、属名と種名が名づけられることに決まっています。赤痢菌の属名は志賀の名前にちなんだ「Shigella」、種名は「Shigella dysenteriae」です。日本人の名前がもとになっている病原菌は、この赤痢菌だけです。

この「dysenteriae」とは種別を表す語で、英語で赤痢を意味する「dysentery」からきています。dysentery の語源はギリシア語で「悪い腸」を意味し、赤痢や潰瘍《かいよう》性大腸炎といった腸の炎症や細胞の壊死を引き起こす病気全般を表す言葉です。

赤痢とは、赤い血の混じった粘性の下痢便を排泄する症状が出る病気の総称で、痢は「腹を下す」という意味です。コレラや腸チフスと同様、原因菌に汚染された水や食物、感染者の排泄物などを口から摂取することで感染します。症状としては、発熱や悪寒、腹痛、体重減少をともなう場合もあります。

ひと口に〝赤痢〟といっても、原因によってまったく異なる病気として分類されています。

一つが、主に熱帯地方に生息する単細胞生物のアメーバを病原体とする「アメーバ赤痢」です。アメーバが大腸といった消化管に寄生して炎症を起こし、赤痢の症状を生じさせます。近年、このアメーバ赤痢も毒性によって2種類に分けられることがわかってきました。その90％は症状の出ない非病原性で、感染しても無自覚・無症状です。残り10％ほどの病原性のアメーバ赤痢に感染すると、通常は2～4週間、まれに潜伏期間が数カ月から数年の潜伏期間を経て発症します。

2002年に国立感染症研究所がまとめた「感染症発生動向調査週報」によると、世界人口の10％程度がアメーバ赤痢に感染していて、そのうち10％の人が病原性のアメーバ赤痢に感染しているとされます。つまり、当時の世界のおよそ5000万人が

アメーバ赤痢と細菌性赤痢

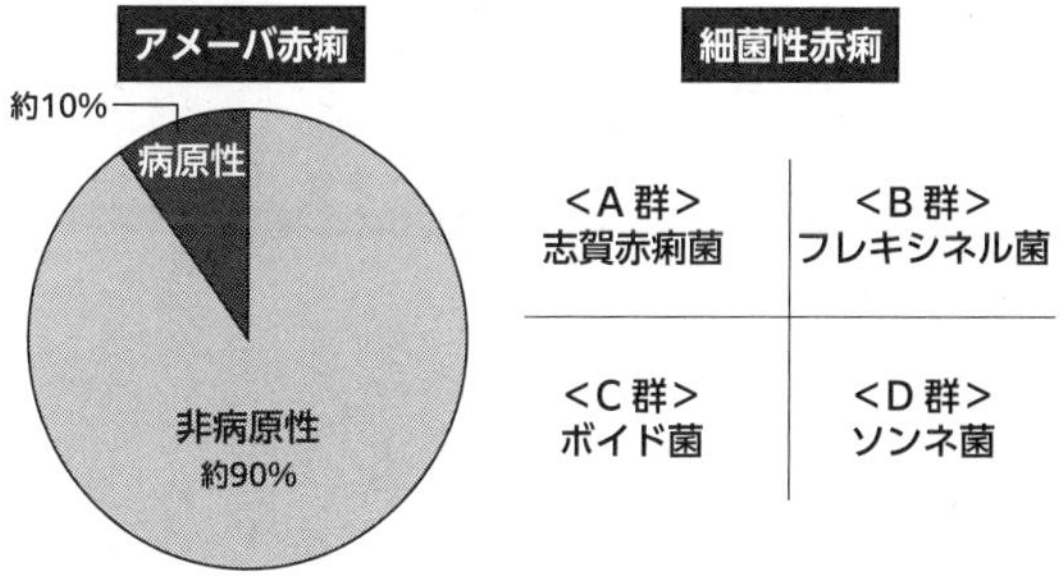

病原性のあるアメーバ赤痢と、細菌性赤痢のA群は危険性が高い。

病原性のアメーバ赤痢にかかっていたといえるのです。

アメーバ赤痢のワクチンは存在せず、流行地域に渡航する場合はトイレ後の手洗いを徹底し、加熱したものを食べること、水やフルーツなどの飲食を避けるよう推奨されています。感染した場合は、抗アメーバ薬を一般的に使用します。

そしてもう一つが、赤痢菌を原因とする「細菌性赤痢」です。10~100個程度の極めて少ない菌数であっても発症する場合があります。感染から1~5日の潜伏期間を経て腸で炎症を引き起こし、大腸の上皮細胞を壊死、脱落させます。すると、感染者には血の混じった下痢や腹痛などの症状が現れます。

細菌性赤痢には、志賀の見つけたA群（志賀赤痢菌）をはじめ、B群、C群、D群の4種類が存在します。このうち、最も重症化しやすいのが志賀赤痢菌です。栄養状態の悪い、小児がとくに重症化しやすく、重度の合併症を引き起こすケースがあります。ほかの3種類の赤痢菌に感染しても血便が出ることはありません。

対症療法として、乳酸菌やビフィズス菌などの生菌整腸薬を使用します。発症初期に抗菌薬を投与すると、症状の持続期間や保菌期間が短くなることがあります。治療薬に加えて、下痢によって失われた水分を補うため、経口補水液を飲むことが望ましいとされています。

国立感染症研究所によると、世界的に見れば、細菌性赤痢の患者のおよそ80％が10歳児未満で、家庭内感染が多いことが特徴です。通常、健康な成人ならば、治療しなくても4〜7日で回復に向かいます。

アメーバ赤痢と同様、ワクチンは存在しないため、衛生環境が悪い地域に渡航する場合は、飲食やトイレの使用に注意が必要です。また赤痢菌は熱に弱いので、加熱調理が有効となります。

病気は特定していたが原因は誤解

古くから赤痢については知られていました。紀元前16世紀半ばに書かれた古代エジプトにおける最古の医学全書『エベルス・パピルス』に、赤痢と疑われる病気の治療法が記されています。

古代ギリシアの医師ヒポクラテスは、赤痢によって引き起こされた下痢が、ほかの病気を原因とする下痢とは明確に異なることが書かれています。同じく、古代ギリシアの歴史家ヘロドトスはその著書『歴史』で、紀元前500年ごろ〜紀元前450年ごろ、アケメネス朝ペルシアがギリシアに侵攻したペルシア戦争において、飢餓状態の兵士が赤痢と思われる病気を発症した様子をえがいています。

時代は下って紀元1〜2世紀の帝政ローマ期、ローマで開業した医師アルキゲネスは、赤痢の治療にアヘンを用いることを提案したとされています。

そして、赤痢について初めて詳細な記述を残したのが、2世紀ごろにローマ帝国支配下のカッパドキア（現在のトルコ中央部）出身の医師アレタイオスです。アレタイオスは患者の腸を調べるとともに排泄物を観察し、赤痢を分類しています。

ただし、当時は原因をつきとめることができず、赤痢を発病する原因は悪い空気によるものという、いわゆる瘴気説が信じられていました。

十字軍運動の敗因だった⁉

中世になると、軍隊が長い距離を移動する戦争が起こるようになりました。進軍にともない、衛生状態が悪く、人の糞尿の経口摂取を感染経路として赤痢が広がっていきました。

当時の代表的な戦争として、ヨーロッパのキリスト教国家が連合して、イスラム教徒の勢力下にあった聖地エルサレムの奪還を目指した十字軍運動があります。キリスト教国家の中でも、フランスは歴代の国王みずから十字軍に参陣するなど積極的に関与しました。

フランス王ルイ8世は十字軍を組織し、フランス南部で盛んに信仰され、カトリックから異端とされていたカタリ派を征伐しますが、その帰途、1226年に赤痢で亡

13世紀における十字軍運動時の地中海一帯の勢力

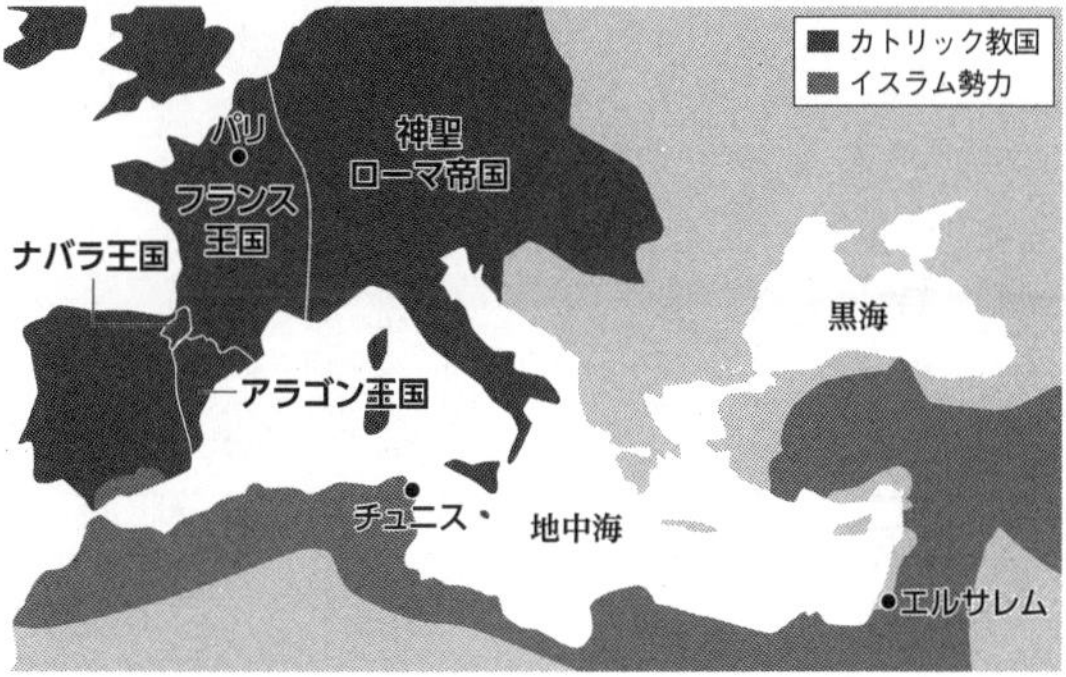

ヨーロッパから環境の異なる土地への遠征に加えて、不衛生な戦場に身を置くうちに多くの将兵が赤痢に感染した。

くなりました。この遠征における赤痢やマラリアによる病死者数は、戦死者数を上回り、3カ月間で2万2000人が命を落としたといいます。

1270年、今度はルイ8世の息子であるフランス国王ルイ9世が十字軍を率いて戦いに赴き、北アフリカのチュニスに上陸しました。そこでイスラム教徒軍と交戦するうち、軍内で赤痢やチフスが蔓延。ルイ9世自身も赤痢に感染し、戦地で病没しました（一説にはチフスが死因とも）。病弱だったルイ9世は、それまでも赤痢やマラリアをたびたび発病しており、背骨が飛び出して見えるほどにやせ細っていたといいます。そして、この戦いを最後に十字軍運動は終わりました。

19世紀のイギリス人の歴史家クレイトンは「真の敗北の相手はイスラム軍にあらず、赤痢をはじめとする細菌であった」と十字軍運動の失敗について述べています。

十字軍運動が終わったのちも、フランス国王は親征しています。1285年、ルイ9世の嫡子であるフランス国王フィリップ3世は、敵対していたアラゴン王国（現在のスペイン北東部など）に攻め込みました。アラゴン王国の都市ジローナを包囲した遠征軍でしたが、陣中で赤痢が流行して戦力が削《そ》がれたことも一因になり敗北を喫します。さらに、フィリップ3世自身も赤痢とマラリアにかかって死去したともいわれています。

王族でさえ赤痢で命を落としたことを考えると、栄養と衛生状態がさらに悪い、一般兵士の感染率や死亡率がより高かったことがうかがえます。

中世の戦場で猛威を振るう

イギリス海峡を挟んでフランスの対岸に位置するイングランド王国でも、赤痢は猛威を振るっています。

十字軍が派遣されるより前の13世紀初頭、イングランドはジョン王が統治していました。ジョン王は、イングランドが大陸に有していた領地をフランスに奪われたうえ、重税を課したことで貴族と対立した末に、「マグナ・カルタ（大憲章《けんしょう》）」を認めた人物です。このマグナ・カルタが成立したものの、ジョン王はすぐ反故《ほご》にし、貴族と再び対立する中、1216年に赤痢で病死しました。

ジョン王の孫にあたるイングランド王エドワード1世は、グレートブリテン島の統一を目指し、赤痢を患いながらスコットランド王国に親征しますが、その最中の1307年に病没しています。

14世紀の中ごろになると、イングランドとフランスとの間で百年戦争が勃発、断続的に戦いが行われます。

1415年、イングランド王ヘンリー5世率いるイングランド軍は、アザンクールの戦いにおいてフランス軍に大勝し、形勢はイングランドの有利に傾きます。そうして1420年、イングランド側に有利な条件が盛り込まれたトロワ条約が、フランスとの間で結ばれました。

イングランドの優勢を決定づけたこの戦いの死傷者は百年戦争で最も多かったとされ、一説にフランス軍が数千～1万1000人だったのに対し、イングランド軍は100人程度だったともいわれています。ところが、イングランド軍の間で赤痢が広がり、8000の兵のうち、約75%がイングランドに帰国できず大陸で命を落としたといいます。

トロワ条約にもとづいて次のフランス国王となる予定だったヘンリー5世も、1422年、パリ郊外のヴァンセンヌ城において赤痢が原因で没します。新たにその息子がイングランド王となりますが、幼少だったこともあり、イングランドの統治体制がゆらぎます。そんな中、ジャンヌ・ダルクの登場をきっかけに勢いを盛り返したフランスに、イングランドは大陸における領地のほとんどを奪い返され、百年戦争は終結しました。

艦船の中でも感染が広がる

その後、赤痢に感染する経路や原因がわからないまま時代は過ぎ、大航海時代に突入すると、ヨーロッパ各国は海外に進出し、植民地を獲得していきます。

16世紀のイングランドでは女王エリザベス1世が君臨していました。このころ、強大な海軍力を背景にスペイン王国が世界の制海権を握り、植民地などから船で自国に大量の物資を輸送していました。そうした船を襲うことを生業《なりわい》としていた海賊の1人に、フランシス・ドレークがいます。ドレークはイングランド政府公認のもと、スペイン船を襲っていました。これに激怒したスペイン国王フェリペ2世は、大艦隊（アルマダ）を差し向けます。

1588年、両海軍はイギリス海峡で激突。ドレークらが指揮するイングランド艦隊は、スペイン艦隊に勝利します。辛くもイングランド海軍の追撃を逃れたスペイン艦隊でしたが、帰国の途上、赤痢やチフスといった病に船員が次々と倒れ、海戦を上回る数の船が沈没か座礁して大損害を出します。一方、勝利したイングランド海軍も洋上に留まっていたところ、船内で赤痢やチフスが発生し、多くの兵士が命を落としました。このアルマダの海戦以降、イングランドは海洋国家として世界へ進出していくことになります。

その後もスペインとの争いは続き、スペイン領だった西インド諸島に派遣されたドレークは赤痢にかかって1596年に没し、水葬されました。

大飢饉で感染者が増加

グレートブリテン島の西に位置するアイルランド島の農村部では、昔から赤痢が風土病であると考えられていたようです。

イングランド王ジョンがアイルランドに遠征した際、同行していた12世紀の歴史家ウェールズは、アイルランドの風土病として赤痢について言及しています。

17世紀のイングランドの学者アンソニー・ウッドも、赤痢についての記録を残しています。1642年に始まったピューリタン革命で政権を握ったクロムウェルは、アイルランドに遠征します。それに従軍したウッドの兄弟のトーマスが、農村部において赤痢で命を落とした、と記しています。

さらに、「イングランドのヒポクラテス」と称され、17世紀に活躍した医師トーマス・シデナムも「アイルランドの風土病赤痢」という記述を残しています。シデナムは赤痢の治療薬として、1676年にアヘンチンキを開発しました。この薬は、30度数のアルコールをはじめアヘンやサフラン、桂皮《けいひ》などを用いて生成されました。現代でも下痢の症状改善に用いられることもありますが、赤痢に対しては、症状の悪化や治療期間の延長をきたすおそれがあるとして、投与が禁止されています。

アイルランドでは1840年代にジャガイモの不作による大飢饉（ジャガイモ飢饉）が起こり、100万人以上が命を落とします。その中には、栄養を欠いて体力が落ち込み、赤痢やチフスに感染して亡くなる者も多く、この赤痢は「飢餓赤痢」と呼ばれました。

こうして、生活がままならなくなった多くのアイルランド人は、新天地を求めて北米大陸へと渡りました。その子孫にはのちにアメリカ大統領となった、第35代のジョン・F・ケネディ、第37代のニクソン、第40代のレーガンらがいます。

飲茶の習慣に予防効果あり

18世紀後半のイングランドでは、インドで生産された良質の茶葉（アッサム種）が入ってくるようになり、紅茶を飲む習慣が国内の中流階級で定着していきました。18

世紀初頭に6トンだった紅茶の輸入量は、19世紀初頭に1万1000トンまで増大しました。国内経済が活発化した1850年代になると、労働者階級も紅茶を飲むようになり、ある機械工は1週間の稼ぎの15％を紅茶と砂糖に費やしたといいます。

じつは飲茶には、感染症に対する二重の予防効果がありました。水を沸騰させることで細菌は死滅して、生き残った細菌も茶葉から染み出すタンニン酸で殺菌されたのです。

18世紀後半、イングランドにおける赤痢の発生率と子どもの死亡率が激減したことは、医師らの観察記録でわかっています。飲茶という習慣によって、母親が飲んだ紅茶に含まれる殺菌成分が母乳を通じて子どもにも伝わったとされます。また、赤痢やコレラにかからなかった人々が、働き手として王都ロンドンの発展を支えました。

世界中の戦場で蔓延

近代になると戦争は大規模化し、多くの兵士がより長距離を移動するようになりました。人々が密集する戦場はとても不衛生であるため、戦場では赤痢が流行し、時に戦況に大きな影響を与えます。

1789年、革命によってフランスは王政から立憲君主政へと移行しました。この動向に対し、フランス周辺の王政国家は危機感を抱き、フランス政府に王政を復活させるよう圧力をかけました。これをきっかけとして、プロイセン王国や神聖ローマ帝国といったフランスの周辺国が手を組み、1792年にフランスへ攻め込みました。いわゆるフランス革命戦争が勃発したのです。

革命の最中でまとまりに欠けるうえ、徴兵された国民で編成されたフランス革命軍に対して、プロイセン軍は戦いを優勢に進め、フランスのパリに迫ります。そして1792年9月には、パリの北東に位置するヴァルミーでフランス革命軍と戦闘になります。

当然、プロイセン軍が勝利すると思われていましたが、不衛生な状況にあったプロイセン軍内では赤痢が広がっており、フランス革命軍に敗北を喫します。この戦いは、国民で編成された軍隊が、王朝の軍隊を破った最初の戦争だといわれています。

しかも、ヴァルミーの戦いの戦死者がわずか200人あまりだったにもかかわらず、プロイセンに帰国できたのは、フランスに侵攻した約4万2000人のうち2万人程度でした。

一方、ナポレオンの登場により、周辺国との争いを優位に進めたフランス革命軍も、赤痢に悩まされています。1798年、ナポレオン率いる3万8000のフランス革命軍がエジプトに遠征します。敵対関係にあったグレートブリテン王国（イギリス）の重要な貿易拠点があったエジプトを占拠することで、イギリス経済にダメージを与えようとしたのです。

到着したフランス革命軍は、当時エジプトを支配下に置いていたオスマン帝国軍を破り、カイロ一帯を制圧しました。しかし、フランス艦隊がナイル川河口のアブキール湾において提督ネルソン率いるイギリス艦隊に敗れたのち、兵士をエジプトに残したままナポレオンはフランスへ急ぎ帰国します。この遠征中、軍隊内で赤痢が発生し、2468人を失いました。

南北戦争、第一次世界大戦でも流行

19世紀後半、ナポレオンの甥にあたるナポレオン3世のもとで共和政から帝政へ移行していたフランスは、またもプロイセンと戦うことになります。この１８７０年から１８７１年にかけての普仏戦争における局地戦、メス攻囲戦では攻める側のプロイセン軍内で赤痢が流行。3万８６５２人が感染し、２３８０人が命を落としています。とはいえ、メス攻囲戦でフランス軍は敗れ、普仏戦争の形勢はプロイセン軍に大きく傾き、プロイセン軍は勝利します。勢いそのままにプロイセン軍は進軍し、ヴェルサイユ宮殿まで占拠すると、国王ヴィルヘルム１世はプロイセンを核としたドイツ帝国の成立を宣言し、パリを占領下に置きます。

普仏戦争とほぼ同時期、北アメリカ大陸でも赤痢は猛威を振るいました。１８６１年から始まった南北戦争において、南軍の捕虜のうち23万３８１２人が急性赤痢、２万５６７０人が慢性赤痢にかかったといいます。北軍にも赤痢は広がり、両軍合わせて3万４８１人が死亡したとされています。

１９１４年には、第一次世界大戦が勃発します。かつてない総力戦となったこの戦いでは、多くの兵士が戦場に動員されました。主戦場となったヨーロッパの前線には塹壕が築かれました。頭上をおおうものが塹壕にはないため雨水がたまり湿度が高い限られたスペースで、兵士らはじっと身を寄せ合っていました。この不衛生な環境はウイルスや原因菌が非常に繁殖しやすいものでした。そのため、インフルエンザ（スペイン風邪）をはじめ、赤痢、発疹チフスやコレラにかかる兵士が続出しています。

明治時代以降の日本で大流行

移動をきびしく制限されていた幕藩体制が終わり明治時代を迎えた日本では、関所が撤廃され、人の移動は基本的に自由になりました。すると、地方から東京や大阪に人が集まるようになります。たとえば、1872年に約86万人だった東京市の人口は、1901年には200万人を超え、1919年には約334万人にまでなります。

人口が集中して問題になるのが、インフラ整備の不足です。1877年ごろから始まったコレラの流行によって、東京市は上下水道の整備を急務としていましたが、下水道建設には莫大な費用がかかるため、まずは上水道の整備を優先します。そこで増大する、尿の処理方法として、江戸時代以来のくみ取り式をそのまま採用し続けました。その結果、土中にもれ出たし尿によって飲料水のもとになる井戸水が汚染され、赤痢が流行します。

下水処理施設は1887年の横浜を皮切りに、開港した港がある都市や大都市で優先的に設置されていきます。ろ過を利用したこの下水処理施設は、赤痢やコレラといった感染症への対策として1829年にイギリスで開発されたのち、ヨーロッパに広がり、日本にも導入されました。こうした下水処理施設の設置が進むにつれ、その地域での赤痢の発生は減っていきます。

それでも下水処理施設の普及には時間を要し、1879年に16万人あまり、1886年に15万6000人あまりが赤痢に感染しています。1897年には関東を中心に半年の間で、約9万1000人が赤痢を発症、約2万人が命を落としました。

この年、赤痢のほか、さまざまな感染症の拡大防止を目的とした「伝染病予防法」が公布され、政府は公衆衛生の改善に取り組みますが、1920年代に再び赤痢は大流行します。

ヨーロッパから世界へと拡大

赤痢の被害が拡大しつつあった明治時代に活躍したのが、冒頭で紹介した志賀潔で

志賀潔の年譜

年	できごと
1870年	宮城県に生まれる
1896年	伝染病研究所に参加
1898年	赤痢菌を発見
1901年	ドイツに留学
1915年	北里研究所に参加
1920年	慶応大学医学部教授となる
1926年	京城帝国大学医学部長に就任
1944年	文化勲章を受章する
1948年	日本学士院会員となる
1957年	郷里の宮城県で死去

赤痢菌を発見した志賀潔
(共同通信イメージズ)。

す。志賀は1870年に現在の宮城県仙台市に生まれました。帝国大学医科大学(現在の東京大学医学部)を卒業後、1896年に伝染病研究所へ入り、北里柴三郎に師事します。その翌年、日本で赤痢が大流行し、志賀は赤痢の病原体を探索するよう北里から指示されます。しらみつぶしに観察した末、赤痢患者の排泄物に存在するある細菌だけが、ほかの赤痢患者の抗体に反応することを志賀はつきとめます。

志賀は発見したその細菌を「バチルス・ディザンティリエ」と名づけます。これが冒頭で述べた細菌性赤痢の原因菌である「赤痢菌」です。1898年には、一連の研究結果をまとめた論文を発表し、国際的に認められました。こうして、赤痢菌の属名に「Shigella」と名づけられたのです。

赤痢菌の中でも重症化しやすい志賀赤痢菌は、熱帯地域からヨーロッパへ広がっていったと考えられていました。

2016年までに300種類以上の赤痢菌が研究された結果、19世紀後半にヨーロッパで生まれた志賀赤痢菌は、ヨーロッパからの移民とともにアメリカ大陸に渡り、植民地への入植者がアフリカ大陸やアジア、中南米に志賀赤痢菌を持ち込んだと考えられています。

海外で戦う兵士を救った正露丸

志賀が赤痢の研究を始めたころ、日本は海外への進出を始めていました。1894～1895年にかけて、中国の清朝との間で日清戦争が勃発します。この戦争についてまとめられた1904～1907年に刊行された『日清戦史』によると、日清戦争に参戦した兵士約17万人のうち、およそ65%が赤痢をはじめ、マラリアやコレラにかかり、野戦病院に入院したといいます。そのうちの1万1000人が赤痢に感染し、

2000人が死亡しています。

1904年に起こった日露戦争で、日本軍は日清戦争での反省を踏まえて、衛生管理を徹底しました。対策の一つとして、現代でも販売されている胃腸薬「正露丸（当時は征露丸）」を、赤痢やチフスの予防薬として兵士に支給し、これが効果を発揮しました。

政府の統計によると、日露戦争に参加した陸軍総数約23万8000人のうち、戦死者は約4万7000人、戦病死者は約3万7000人ですが、そのうち約2万8000人が脚気によるものでした。

戦病死者数が戦死者数を下回ったことから、日本軍は戦場で感染症に勝った最初の軍隊とも考えられています。のちの各国軍隊の衛生管理に影響を与えたともいいます。

1941年に太平洋戦争が勃発すると、戦場は南方のインドシナや太平洋上の島々へと拡大していきました。慣れない気候の中で物資不足に陥った日本の兵士は、アメーバ赤痢に苦しみました。

補給に失敗した南太平洋ガダルカナル島では、飢えとアメーバ赤痢をはじめとした感染症によって、多くの日本兵が倒れています。

国指定重要文化財となっている「旧三河島汚水処分場喞筒(ポンプ)場」(提供:東京都下水道局)。

下水道整備で患者が減少

第二次世界大戦が終結した1945年からしばらくの間、日本における年間の赤痢患者は10万人を超え、死亡者も2万人近くを推移しました。原因として、国内の移動が増えて感染機会が増えたことや、個人が薬局で買った抗菌剤をよくわからないまま使用し、適切な治療を受けなかったことなどがあげられます。

加えて、当時の日本を占領していた連合国軍最高司令官総司令部(GHQ)によって、1949年に経済財政政策のドッジ・ラインが実施され、衛生関連の予算が大幅に削減されたことも影響しています。

しかし、１９６５年ごろから赤痢の感染者数は減少し始め、１９７４年には２０００人以下になり、以降は１０００人前後から増えていません。これは、上下水道が普及し、衛生状態が改善したことなどが要因です。

従来のくみ取りを東京市は採用し続けていましたが、１９１３年に本格的な下水道工事を開始し、日本初の近代的な汚水処理場である三河島汚水処分場（荒川区）が、１９２２年から稼働します。汚水処理施設の建設によって、東京でも水洗便所の利用が可能になり、くみ取り式のトイレは減少し、衛生状態が向上しました。

１９６１年の23区内の下水道普及率は22％でしたが、高度経済成長による公害の発生で整備が進められ、１９７８年には70％、１９９５年には普及率が１００％に達しました。

そのため現代では、赤痢にかかる日本人のほとんどは海外で感染し、帰国後に家庭内感染、学校やホテルなどで集団感染するケースに限られ、近年の日本におけるアメーバ性と細菌性とを合わせた死亡例は、数人前後と推定されています。

とはいえ、世界各地では今もなお赤痢に苦しむ人が大勢いて、年に１億６０００万人が重症化し、100万人超が死亡しているといいます。1994年に東アフリカで起こったルワンダ虐殺の際、ザイールに逃げた難民2万人が、1カ月のうちに赤痢で命を落としました。

近年、抗生剤が効かず治療が困難な赤痢菌の感染症例が増えていることが問題視されています。ルワンダ難民の間で流行した赤痢菌には、これまで使われていた抗生物質が効きませんでした。しかも赤痢菌は短いサイクルで変異しやすい菌で、今後、より毒性の強い赤痢菌が生まれ、人類に牙をむく可能性があるのです。

結核

―― tuberculosis ――

19世紀、ヨーロッパでペストと入れ替わるように蔓延したのが結核だ。青白い顔をして血を吐き、若くして世を去る患者の姿は、時として文学や演劇などで悲劇的な物語の題材にされ、空気の清浄な地に築かれた療養所という産業を生む。

日本でも明治期から戦前まで「不治の病」の代表格として恐れられたこの疫病は、なぜ近代以降に広まったのだろうか。

近代に蔓延した〝青年の病気〟

歴史上、感染症で死去した著名人は少なくありませんが、結核はとくに近代以降の文学者や芸術家の間に多く見られる病気です。

たとえば、フランスで活躍した音楽家ショパン、イタリアの画家モディリアニ、チェコの作家カフカなどが結核で死去しており、イギリスの作家スティーブンソンも、結核のため転地療養を行いながら作品を執筆していました。日本でも、樋口一葉《ひぐちいちよう》、正岡子規《まさおかしき》、石川啄木《いしかわたくぼく》、中原中也《なかはらちゅうや》など多数の作家が結核により早世しています。

文学者や芸術家ばかりではなく、農村から都会に出てきた低賃金の工場労働者など、貧困層にも多数の感染者がいました。昭和初期にあたる1933年の日本では、15～34歳の死亡者の6割を結核患者が占めたといいます。当時、結核は死亡率の高い不治の病であると同時に〝青年の病気〟だったのです。

産業革命と市民革命が広まった19世紀以降は、王侯貴族ばかりでなく民衆が社会を動かす存在となった時代です。従来なら、家業に従事する農民や職人の子は10代前半で働きだすものでしたが、学校教育制度の普及によって、子どもから社会に参加するまでの中間にあたる青年という時期が意識されるようになりました。

こうした時代背景の中、上流階級から貧困層まで幅広い階層が、結核のため前途ある若者が命を落としたり、愛する人と引き裂かれたりする悲劇が生まれ、それが多くの文学作品で取りあげられることになったのです。

初期症状は風邪とあまり変わらない

青白い顔をしてやせ細り、たびたび咳《せ》き込んでは時おり血を吐く――これが、文学作品や映画などで描かれる結核患者の典型的なイメージでしょう。

結核は空気中から結核菌を吸い込むことによって感染し、すでに感染している人の咳やくしゃみなどの飛沫から感染する事例が多くあります。人の呼吸器官から外に出た結核菌はすぐに地面に落ちずに30分ほど空気中を漂いますが、肺の奥の気管支まで入り込まないと感染しません。

結核菌は細長い棒状の菌（桿菌《かんきん》）で、乾燥に強いため飛沫が乾いても死滅しにくい一方で、紫外線には弱いため日光浴によって症状や感染を抑えることができます。人だけでなく、牛や豚、鳥、ネズミなどが感染するタイプの結核菌があり、牛から人に感染するケースもあります。

感染後は4～6週間ほどで症状が現れます。まず、咳や痰が出たり、体温が上がったり、寝汗をかくようになります。一見して普通の風邪と似ていますが、そのまま放置すると症状が悪化。しだいに胸が激しく痛み、体力が衰弱して恒常的な疲労感に見舞われ、体重も低下していきます。重症化すると、呼吸器や消化器などの内臓の機能が衰え、呼吸や循環を司る神経系の衰弱が進みます。やがて日常生活すら困難になり、最終的には死に至るのです。

ヨーロッパでは古代から結核のことをギリシア語で「疲労」や「消耗」を意味する「phthisis」と呼んでいました。19世紀に入ると、スイスの医師シェーンレーンによる病理学的観察の結果、肺の中などに結核結節（結核菌を中心とする小さな突起）ができることから、英語で隆起物を意味する「tuberculosis」という呼び名が定着します。日本では近世まで労咳《ろうがい》と呼ばれていましたが、西洋医学が広まった明治期以降は、tuberculosisを訳した結核という語が定着します。

肺が結核菌に侵され、咳や吐血をともなう結核は「肺結核」と呼ばれます。腸が侵される場合は「腸結核」といい、腹痛や下痢、血便、食欲不振などの症状を起こします。背骨の中が結核菌に侵された場合は「脊椎《せきつい》カリエス」（結核性脊椎炎）といい、背中に激痛が走ったり、背骨が変形したり、重症の場合は神経がまひして身体を自由に動かすことができなくなります。また、結核菌が全身に広がると「粟粒《ぞくりゅう》結核症」と呼ばれる症状を起こし、肝臓や腎臓などさまざまな内臓に、穀物の粟の粒のような小さなふくらみ（結核結節）ができて、頭痛や発熱、倦怠感《けんたいかん》に見舞われ、急激に病状が進行して昏睡にいたることもあります。

現在では、結核の抗体を作るツベルクリンを用いた検査（ツベルクリン反応）によって、結核に感染しているかを診断できるので、咳や痰が2週間以上続く場合は、医療機関での結核診断が推奨されています。

『源氏物語』は結核文学だった

ドイツ西部のハイデルベルクで発見された約9000年前の人骨や、イスラエルやエジプトほかの地中海沿岸、中国の長江流域（上海市）に存在した数千年前の人類の骨からも、脊椎が結核に侵されていた痕跡が発見されています。結核菌は、アフリカ東部から、もっとも初期に農耕と集住が行われるようになった中東のメソポタミア地方（現在のイラク）に伝わり、さらに、西方のヨーロッパや東方のアジアへと広がっていったのではないかと推定されています。

紀元前8世紀に活躍した古代ギリシアの詩人ホメロスも、結核について言及しています。結核は同居する家族内で感染することが多かったため、紀元前5世紀のギリシアの医師ヒポクラテスは、伝染性ではなく今でいう遺伝性の病気だと考えていました。ヒポクラテスは、日光浴、身体に温布を当てて血行をよくする、胸部を針で刺して膿《うみ》を排出するといった治療法を唱えています。

ローマ帝国が繁栄していた2世紀ごろには、結核は伝染性の病気だと認識されるようになり、転地療法も広まります。海風に当たることが症状改善によいと考えられ、イタリア半島の都市ナポリや、地中海に面したエジプトが療養先として人気を博していました。

中世ヨーロッパでは、どれくらいの割合で人々が結核に感染していたかの記録が残っていません。ペストや天然痘にくらべれば感染の規模こそ小さいものの、依然として人々の命をおびやかしました。当時の治療法として、身体を温めて血行をよくすることや転地療法のほか、意図的に出血させる（瀉血）ほか、下剤を用いて体内の毒素を排出することも試みられていましたが、効果は低かったようです。

また、800年ごろのアメリカ先住民の人骨にも結核に感染していた形跡があり、正確な時期は不明ながら、結核菌は15世紀に白人が南北アメリカ大陸を訪れる以前にベーリング海峡を経由して北米に持ち込まれていたと考えられます。

一方、東アジアでは中国の湖南省において、紀元前2世紀の前漢の時代に築かれた墓（馬王堆漢墓《まおうたいかんぼ》）の埋葬者が、肺結核に感染していた痕跡が見つかっています。『三国志演義』にも登場する後漢末期の有力者である曹操《そうそう》も、死因は結核だったという説があります。

日本では、鳥取県の青谷上寺地《あおやかみじち》で発掘された紀元前4世紀〜紀元4世紀ごろのものと推定される弥生時代の人骨の2体から、結核による脊椎カリエスを患っていた形跡が見られました。どうやら、この時期に中国大陸から渡来した人々を通じて、日本に結核菌が持ち込まれていたようです。なお、これより以前の縄文時代の人骨からは、結核に感染していた痕跡は見つかっていません。

平安時代の11世紀ごろに書かれた清少納言の『枕草子』は「胸の病」に言及しており、これは結核のことだと考えられています。同時期に紫式部が著した『源氏物語』でも、紫の上が胸の病を患い、光源氏が心配する場面があります。結核が悲恋を生むという、近代文学で多く見られる図式がすでに描かれていたのです。

岩手県の中尊寺には、平安時代末期の東北地方を治めていた奥州藤原氏の当主である藤原秀衡《ふじわらひでひら》のミイラが展示されています。そのミイラの脊椎にも、結核に感染していた形跡がありました。

神奈川県鎌倉市の由比ヶ浜《ゆいがはま》南遺跡から発見された、14世紀の武将である新田義貞《にったよしさだ》による鎌倉攻めの戦死者と思われる人骨からも、結核菌のDNAが検出されています。

戦国時代の人物では、羽柴《はしば》（豊臣）秀吉の参謀を務めた竹中半兵衛は結核が原因で死んだという説が有力です。結核を労咳と呼ぶことが定着した江戸時代では、家族内での感染が多かったことから遺伝性の病気と思われていました。幕末では、新撰組の一番隊隊長だった沖田総司、長州藩の奇兵隊を率いた高杉晋作が、結核により早世しています。

産業革命が広めた「白いペスト」

18世紀後半に入ると、ヨーロッパで中世以来たびたび流行をくり返していたペストが沈静化した一方、結核がしだいに猛威を振るうようになります。黒死病と呼ばれたペストは患者の肌が黒っぽい斑紋に覆われるのに対し、結核の感染者は肌が青白くなることから「白いペスト」と呼ばれました。18世紀から19世紀初頭には、ヨーロッパと北米の4人に1人が結核で死亡したともいわれます。

このころ、イギリスやフランスなどの西欧諸国では、南北アメリカ大陸やアジア、アフリカなどの海外領土からの富の流入によって商工業が活発化し、急速に都市の人口が増加します。ロンドンやパリのような大都市では、近隣の農村から流入した住民が工場労働者や商店員となり、風通しが悪く、上下水道も十分に整備されていない不衛生な地域に密集して生活していました。

とくに産業革命を迎えていたイギリスは、結核が蔓延しやすい環境でした。蒸気機関の導入などによって工業生産が向上し、ロンドンをはじめ、各地に大規模な紡績工場が次々と建設され、工員たちは換気の悪い場所で密集して作業することを要求されました。蒸気機関を動かす燃料となる石炭を採掘する炭鉱では、通気性の低い坑道でたくさんの炭鉱作業員が粉塵にまみれながら密集して働いていました。いずれも、肺結核に感染した労働者にとっては症状が悪化しやすい環境です。

しかも、当時の工場労働者や炭鉱作業員は1日12時間以上、ときには16時間もの長時間労働がめずらしくありませんでした。

必然的に慢性的な疲労に見舞われ、体力は低下し、感染症に対する抵抗力も低くなります。政財界も労働者の心身の健康を無視するわけにいかず、1802年にイギリス政府は工場法を制定し、段階的に労働時間を短縮しますが、8時間労働制が定着したのはようやく20世紀に入ってからです。

1800年ごろのロンドンでは、人口10万人あたりの結核による死亡者が約900人にもおよびました。

その一方、経済が活性化したことで労働者階級の収入は増加し、栄養状態も向上します。さらに、上下水道の整備などによる衛生環境の改善、医療の普及も進みます。このため、イギリスの結核死者数は1838年ごろから減少を続け、1900年ごろには10万人あたり200人にまで低下しました。

イギリスやフランスに続き、産業革命によって近代的な工業の育成を進めたドイツ帝国では、結核などの感染症や労働災害が蔓延することで国力が損なわれ、政府や企業家への不満が広がることを避けるため、1880年代に疾病保険法や災害保険法などの社会保険制度が導入されました。

労働者の健康維持を目的としたこれらの制度は、20世紀に入って以降、労働運動の高まりを受けて各国で導入されていきます。

悲劇的の病として定着する

欧米では19世紀を通じて、結核が蔓延する中、この病を悲劇的モチーフとして描く文学や芸術作品が数多く生まれます。その典型が1848年にフランスの作家デュマが著した小説『椿姫《つばきひめ》』でしょう。劇中、華やかな生活を送る高級娼婦マルグリットは、純情な青年アルマンと恋に落ちながらもアルマンの家族によって引き離され、結核のため早世します。この物語をイタリアのパルマ出身の作曲家ヴェルディがオペラ作品として公演され、ヨーロッパ各国で人気を博することになります。

重病がもたらす悲劇は古代から存在しますが、とりわけ結核は、恋わずらいによる病気と見なされ、美貌やすぐれた才能の持ち主ほどかかりやすい病気と解釈され、時として過剰に美化されました。ペストや天然痘の感染者は全身が水疱《すいほう》や斑紋に覆われるのに対し、結核の感染者はやせ細って肌は青白くなり、対照的に頰《ほお》や唇の赤さ、目の輝きは際立ち、そのような姿にある種の美しさが見出されたからです。

西洋の人々は、絵画や彫刻といった形で十字架にかけられたイエスの受難の姿が人々の目にふれてきました。それゆえ、やせ衰えて苦しむ悲壮な姿からは神聖さを見出す価値観があったのです。

さらに、18世紀末から19世紀の西欧の文学や芸術では、それまでの保守的な道徳観にとらわれず、個人の自由な感情を描こうとする「ロマン主義」が広まります。この背景には、1789年に起こったフランス革命を契機に、王侯貴族や教会の権威に抵抗する民衆の間で、自由や平等を求める声が広まった点も影響していました。ロマン主義は人の精神や観念を尊びましたが、この価値観を極端にすると、精神と対置される肉体を俗なものとして嫌悪し、病のため肉体は衰えながらも精神は明敏になっている状態こそ美しい、といった考え方に結びつきます。

また、古代から上流階級の子どもは家庭内で教育を受ける一方、農業などの家業に従事する庶民の子どもは早くから大人にまじって働きました。年齢層ではなく身分や職業によって人々は区分されていましたが、19世紀に入るころから近代的な学校教育制度が普及すると、大規模な工場や徴兵制による軍隊など、身分や地域の枠を超えて10代から20代の若者が大量に肩を並べて過ごす場が増えます。

こうした状況から、子どもが社会に参加する中間過程にあたる〝青年〟という概念が幅広い階層で認識されるようになりました。成長途上の青年のまま死ぬことはとりわけ悲劇的で、時として尊く見えるという観念が広がることになります。

結核によって衰えた姿に、悲劇性やロマン、死と対照される生の輝きを見出す美意識は、文学や芸術に携わるインテリ層の間で、わざわざ不健康に見せかけるという逆説まで生みました。19世紀初頭に活躍したイギリスの詩人のバイロンは「私は肺病で死にたい」と語り、『椿姫』の作者であるデュマは豊満な体格で活動的な人物でしたが、肺を病んでいると見られたがっていたといいます。

このような屈折した価値観は、産業革命によって不健康と引き換えに経済的繁栄をなし遂げた近代のあだ花といえるかもしれません。もっとも、結核を過度に美化する意識は、20世紀の中ごろからワクチン療法や抗生物質が普及するにつれて薄れていきます。

結核によって生まれた工場法

明治維新後の日本は、18~19世紀の産業革命期の西欧の状況を、約100年遅れた形でなぞることになります。列強に対抗すべく富国強兵を目指した新政府は1872年、群馬県に官営の富岡製糸場を建設したのを皮切りに、各地に次々と大規模な製糸工場と紡績工場を築きました。

こうして、明治期から昭和初期にかけての日本においては、主に中部地方で生産される生糸と絹織物と、近畿地方で生産される綿織物が最大の輸出産業となります。1900年に日本の生糸輸出量は世界1位となり、1930年代の生産量は年間4万トンにのぼりました。

近代日本の製糸産業、紡績業を大きく支えたのは10代から20代の若い女子工員です。医学者の石原修《いしはらおさむ》が大正時代の1913年に発表した『女工と結核』によれば、紡績工場の労働者80万人のうち、50万人が女子工員だったといいます。彼女らの労働条件は劣悪でした。大量の作業員が狭い寮で密集して寝起きさせられ、粉塵《ふんじん》が舞う換気の悪い工場内で、1日に14時間も立ちっぱなしのまま作業することが通例でした。まさに肺結核が蔓延しやすい環境そのもので、多くが就業から2年以内に結核に倒れて帰郷したり、命を落としたりします。

石原は、女子工員1000人あたりの死亡者は8人、その半数が結核性の疾患だったとし、1000人あたり66人が結核に感染したため帰郷させられました。

政府もこの事態を無視できず、労働者の健康維持のため1911年に工場法を制定し、1916年から施行します。午後10時から午前4時までの深夜労働は禁止され、1日の労働時間の上限は12時間までとなり、最低でも月2回の休日というルールが定められました。工員の最低年齢を12歳としました。

法制化されたといっても、現代と比較するとかなり問題がありました。しかし見方を変えると、労働者の健康を維持しなければならないという意識と、国家的に統一された労働基準が広がる契機をつくったのは、結核の蔓延があったからだともいえます。

生糸の生産と結核による死亡者数

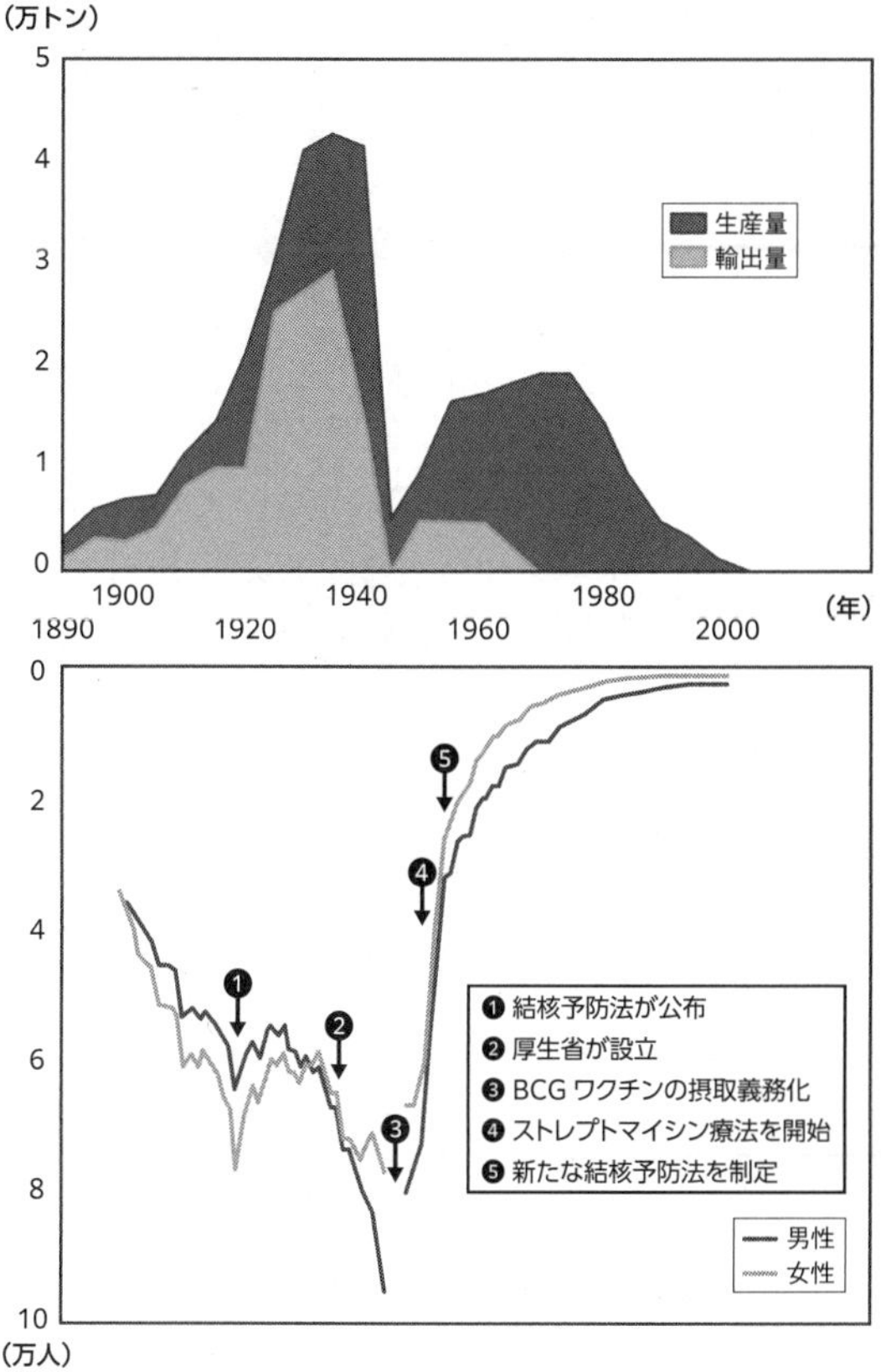

日本における生糸の生産量と比例して、結核患者が増えていった。

（上図）一般財団法人大日本蚕糸会 HP内「養蚕の歴史」を参考に作成
（下図）東京都健康安全研究センター HP内「人口動態統計からみた結核の 100年」をもとに作成

厚生省の設立のきっかけにも

女子工員ばかりではありませんでした。新聞社で校正係をしていた石川啄木のように、デスクワークだった都市生活者の間でも感染者は少なくなかったのです。1919年には「結核予防法」が制定され、患者の隔離や地方自治体ごとの療養所の設置が義務づけられました。同法は戦後の1951年に全面的に改正され、全国民の定期健康診断や予防接種の実施が盛り込まれ、現在は伝染病予防法とともに感染症予防法に統合されています。

明治期から戦前の日本では、結核は〝国民病〟とまでいわれました。こうした中、欧米と同じく結核のロマン化、悲劇的イメージが広がります。徳富蘆花《とくとみろか》が1898年に発表した小説『不如帰《ふじょき》』では、男爵家に嫁いだ若い妻が結核を患い、病のために夫の親族に疎まれて離婚を余儀なくされたのちに命を落とすまでを描き、結核が生んだ悲恋の物語として多くの人々の涙を誘いました。

多くの労働者や軍人が結核に感染している状態は、国の経済力と軍事力の維持にも関わってきます。農村から徴兵された若い男性が兵営で密集して共同生活を送る中で結核に感染し、除隊後に帰郷したことで郷里に結核菌を広めてしまうケースが多発します。第二次世界大戦中の前線部隊の戦病者に占める結核感染者の割合は、温暖な東南アジアや太平洋上の島々に配属された部隊で7・4%、気候が寒冷な中国の東北部の満洲に駐屯する部隊では25%におよびました。

そこで政府は国家的に医療を統括すると、伝染病を予防し、戦地から帰還した傷病軍人や戦死者遺族の生活保障を担当する省庁として、1938年に厚生省（現在の厚生労働省）を設立します。この前年に日中戦争が勃発しており、公衆衛生と社会保障は、戦争を円滑に進める手段として整備されたのです。

サナトリウム療法で観光ブームに

ワクチンや抗生物質が普及するまで、結核の症状を改善させる手段として広く行われたのが転地療法です。古代から結核患者は海風に当たることがよいと考えられていましたが、プロイセン出身の医師ブレーマーは、山岳地帯の空気が結核によい効果を与えると提唱し、1859年に現在のポーランド南西部のシレジア(シューレジエン)で、初めて結核専門の近代的な療養所（サナトリウム）を開業します。

これ以降、ヨーロッパ各地に多くの療養所が築かれました。とくに人気が高かったのは、フランスやスイス、イタリア、ドイツ、オーストリアなどの国々にまたがるアルプス地方です。上流階級の結核感染者において、サナトリウムは時として都会を離れた社交場にもなりました。ドイツの作家マンが1924年に刊行した小説『魔の山』は、スイス西部のダボスにあるサナトリウムが舞台で、ヨーロッパ各地から集まった患者によって、さまざまな人生観や人間模様が描かれます。

サナトリウムにおいて、結核患者は安静にしながら、きれいな空気を吸い、栄養価の高い食事を摂ることが勧められました。ドイツ南部のバーデン・バーデンなど温泉地の療養所では、温泉への入浴、身体によい成分が含まれるとされた鉱泉が飲まれます。山岳地帯ばかりでなく、地中海沿岸など温暖な海浜の療養所も人気で、結核療法として日光浴も推奨されました。ブレーマーが広めたサナトリウム療法によって患者の3分の1が治癒、または改善したといいます。

貧困層の多くはサナトリウムをなかなか利用できませんでしたが、しだいに各国は

登録有形文化財となっている神奈川県茅ヶ崎市の「旧南湖院第一病舎」。

社会保険の適用や廉価に利用できる簡易な療養所の建設を進めます。近代におけるサナトリウムの発達は、鉄道や蒸気船の普及によって交通網が整備されて観光産業が盛んになったこと、都会を離れて自然の中に美や安らぎを見出す価値観が広まったこととも無縁ではありません。

ヨーロッパの多くの人々にとって、中世以来、アルプスの高山地帯のような険しい自然は交通の障害でしかなく、山に足を踏み入れるのは狩猟や軍隊の行軍などに限られていました。しかし、18世紀にフランスの啓蒙思想家ルソーは、都会の人工的な文化を批判してアルプスの大自然を礼讃し、インテリ層の自然観に大きな影響を与えました。19世紀に入ると、山に登ること自体を楽しむ行為としての登山が広まります。この背景には、結核が文学や芸術の題材とされたのと同じく、情動や自然との一体感を尊ぶロマン主義の影響がありました。

サナトリウム療法と、自然の美に改めて着目する価値観は、明治期以降の日本にも広まります。長野県の富士見高原や軽井沢、兵庫県の須磨、神奈川県の湘南などに多くの結核療養所が築かれました。堀辰雄が1936年に執筆した小説『風立ちぬ』は、富士見高原のサナトリウムが舞台でした。風光明媚な観光地としての軽井沢や湘南のブランド化と結核療養所の普及は、並行して起こった現象ともいえます。

戦後に結核治療法の改善が進むと、国内各地のサナトリウムの多くは一般病院に姿を変えましたが、一部は別荘や保養所、マンションなどに転用されています。

今も年間1000万人以上が感染

1882年、細菌学者のコッホが「結核菌」を特定し、さらに1890年には結核の抗原となるツベルクリンを発見します。これにより、結核の診断が容易になりました。1921年には、フランスのパスツール研究所が、結核への免疫を高めるBCGワクチンを実用化しました。BCGワクチンは結核の予防手段としては有力でしたが、感染者への有効な治療法は決め手に欠ける状態が続きます。

そんな中、第二次世界大戦中の1944年、アメリカの細菌学者セルマン・ワクスマンが、結核菌の活動を阻害する強力な抗生物質のストレプトマイシンを発見します。その効果は高く、1900年には40%におよんだ結核性肋膜炎の死亡率は、1947年には0・6%にまで低下しました。ワクスマンはストレプトマイシン発見の功績が認められ、1952年にノーベル生理学・医学賞を受賞しています。

ストレプトマイシンを発見したワクスマン
(Science Source/amanaimages)。

またこの年、1912年代に実用化されていた安価に合成できる薬剤のイソニコチン酸ヒドラジッドが、結核治療にきわめて有効だ

細菌学の父」ともいわれるコッホ(World History Archive /ニューズコム /共同通信イメージズ)。

と判明します。

かねてより、イギリスをはじめとして産業革命が進んでいた国々では、19世紀から居住環境の清潔化、食料事情の改善による感染者の抵抗力の向上などによって結核患者の減少が続いていました。これらに加えて、各種の抗生物質の普及もあり、日本を含めた先進国では急速に結核の克服が進みます。

とはいえ、衛生環境が不十分な新興国では、感染の拡大が引き続き見受けられ、治療薬や抗生物質に耐性を持つ結核菌も現れています。このためＷＨＯは１９９０年代以降、過去に感染拡大が抑えられながらも、再び感染者が増加している「再興感染症」に結核をあげています。そして結核予防を国際的にアピールするため、ＷＨＯは１９９７年、コッホが結核菌の発見を発表した3月24日を「世界結核デー」に定めました。さらにはエイズ、マラリアとともに、結核は「三大感染症」の一つにも数えられています。

2016年の時点で、世界では年間1040万人が新規に結核を発病し、140万人が命を落としています。感染者の46％はインドやアラビア半島などの南西アジア、26％はアフリカ大陸の新興国が占めています。とくに、通常の結核感染者の死亡率は45％ですが、HIV陽性者が結核に感染した場合の死亡率は100％といわれ、結核とエイズの合併症が深刻な事態を招いています。

日本では年間1万5000人の感染者が発生し、2000人が命を落としています。初期症状は普通の風邪に似ているので、病院での診断を受けず、自覚がないまま悪化してしまうケースも少なくありません。近代の歴史とともに歩んできた結核は、21世紀の今も決して過去の病気ではないのです。

天然痘
——smallpox——

21世紀の現在、人類がほぼ克服した最初の感染症が天然痘だ。だが、そこに至るまでの道のりは長かった。

かつて「疱瘡《ほうそう》」と呼ばれたこの病は、アジアでもヨーロッパでも古代から多くの人々の命を奪ってきた。しかし、一方では数千年にわたり、天然痘とは無縁で住民が免疫を持たない地域が存在した。このことが世界史に与えた影響は、あまりにも大きい。

南北アメリカ大陸の征服を招く

感染症の歴史的な広がりには地域差があります。その端的な例が天然痘です。ユーラシア大陸の各地では古代から天然痘が猛威を振るってきましたが、南北アメリカ大陸では近代まで症例が見られず、このことが世界史に大きく影響します。

数千年前、人類史上で最も初期の文明地は、中東のメソポタミア地方（現在のイラク）、北アフリカのエジプト、南アジアのインダス川流域とガンジス川流域、中国大陸の黄河流域と長江流域などで発生しました。ヨーロッパが他地域を圧倒するようになったのは、大航海時代を迎えた１６００年代以降です。

それではなぜ、17世紀に至ってヨーロッパが先進地域となり、他地域を植民地にしていったのでしょうか。この時期、西欧では「価格革命」と呼ばれる事態が起こります。通貨の流通量が急激に増えたためインフレーションが進み、農産物をはじめ、あらゆる物価が中世とくらべて約５倍も高騰したのです。商業が発達していたネーデルラント（オランダ）やイングランド（イギリス）では、これを商機と見た人々によって共同資本による株式会社が次々と設立され、近代資本主義の下地が築かれることになりました。

価格革命の要因は、中世のペストの大流行で激減した人口が増加に転じ、食料や日用品の需要が増加していたことに加え、新たに発見された南北アメリカ大陸からの富の流入です。南北アメリカ大陸での銀の産出量は、1501～1550年の段階では年間平均5・3トンでしたが、1551～1600年には143・5トンに激増。17世紀には最大で年間450トンにまで達します。

新大陸から大量の金銀を手に入れた西欧諸国は、その財力によって軍事力を強化し、アジアやアフリカの各地に軍人と貿易商人を進出させて、銀を対価として交易を行っていました。

南北アメリカ大陸における金銀の採掘は、ヨーロッパ人による先住民の征服と奴隷労働による一方的な収奪でした。ことに中南米屈指の銀の産地であるメキシコにはアステカ帝国、現在のペルーからボリビアにかけてインカ帝国という先住民による強大な国家が存在しましたが、いずれもきわめて短期間で白人の征服者の前に屈します。その背景には、白人国家の武力に加えて、天然痘の脅威がありました。

完治しても残る感染の跡

天然痘は、英語では「smallpox」と記され、「小さな斑点」を意味します。日本では古くから「痘瘡《とうそう》」、あるいは「疱瘡」と呼ばれていました。「瘡」の字はかさぶたや腫れ物を意味します。その名のとおり、感染者は身体の表面に多くの水疱ができ、完治しても瘢痕《はんこん》（あばた）が残るのが特徴です。このため、治療法が確立されていなかった時代、過去に天然痘が流行したことがある地域の人の顔にはあばたが多く見られたので、感染したことのある人は一目瞭然でした。

この病気を引き起こす天然痘ウイルスは、低温と乾燥に強い半面、アルコール、ホルマリン、紫外線にさらされると感染力は大きく低下します。

感染すると、7～15日ほどの潜伏期間を経て、最大で40度もの高熱、頭痛や腰痛に見舞われます。発病から4日目ごろから顔や全身に赤い斑点のような発疹が現れ、やがて皮ふから盛り上がった丘疹《きゅうしん》になり、さらにふくらんで水疱《すいほう》となり、その中に膿がたまってかゆみや痛みが広がります。患者が死亡する事例は感染から1週目後半から

2週目にかけての時期に多く、死亡率は毒性の強い種で約20〜50％とされます。症状が改善して生還しても、かさぶたが取れ、あばたが残ります。重症者は初期から症状がはげしく、鼻孔の内側や内臓から出血し、血便が出る場合もあり、肺炎や敗血症を併発して死に至ります。

人が感染する天然痘と同系統のウイルスが起こす疫病には、牛が感染する牛痘、羊やヤギが感染する羊痘、豚が感染する豚痘などがあり、人の天然痘は家畜の感染症から変異したものと考えられています。西アジアでは約1万年前に羊が家畜化され、さらに約8000年前に牛が家畜化されました、天然痘と思われる病気の最古の記録は3000年以上前のインドの文献に見られ、天然痘は古代インドで飼われていた牛、あるいは中東で飼われていたラクダから人に感染したようです。

権勢を振るった王侯も名将も倒れた

記録にある限り、天然痘に感染した初期の人物には、紀元前1100年代中期のエジプト第20王朝の王であるラムセス5世で、即位から4年で世を去りました。ラムセス5世のミイラに天然痘に感染した痕跡が残っていたことから判明しました。

古代のギリシアでは紀元前431年ごろ、「アテナイのペスト（悪疫）」と呼ばれる疫病が蔓延しましたが、これはペストではなく天然痘だったという説が有力視されています。アテナイは、この疫病によって有力な政治家のペリクレスをはじめ、人口の3分の1を失い、敵対するスパルタを中心としたデロス同盟との戦乱（ペロポネソス戦争）に敗れ、ギリシアの都市国家群における主導権を奪われることになります。

ローマ帝国でも165年に「アントニヌスの疫病」、251年に「キプリアヌスの疫病」と呼ばれる感染症が大流行し、いずれも天然痘だったと推定されています。たび重なる疫病の蔓延によってローマ土着の神々への信仰を司る神官の権威は失墜し、キリスト教に帰依する民衆が増加する一因になったともいわれます。

6世紀には東ローマ帝国（ビザンツ帝国）のマリウスという司教が、ラテン語で斑点を意味する「variola」という言葉をこの病気に対して用いるようになり、現在まで天然痘を指す医学用語として定着しています。

紀元前2世紀から紀元4世紀ごろには、西方から東アジアへ天然痘が伝わったと考えられています。古代の中国では、神仙術などを探究する道士が医学者を兼ねており、

4世紀の晋《しん》朝の道士である葛洪《かっこう》は、医術書の『肘後備急方《ちゅうごびきゅうほう》』で、当時の中国大陸でも疱瘡が流行していたことを記しています。

歴史上、天然痘に感染して命を落としたとされる人物は少なくありません。中世のヨーロッパで987年にカペー朝フランス王国を創始したユーグ・カペーは、水疱をともなう疫病で死去しており、現在では天然痘だったと考えられています。このほか、17世紀のオランダ総督ウィレム2世、18世紀のロシア皇帝ピョートル2世、アジアでは清朝の順治《じゅんち》帝などがあげられるでしょう。アメリカ合衆国の初代大統領であるジョージ・ワシントンも青年期に天然痘に感染し、完治しましたが、顔にはあばたが残っていたと伝わっています。

疫病対策で朝廷の財政が傾く

日本では、中国大陸の王朝との交流が進んだ6世紀後半ごろから、天然痘と疑われる発疹をともなう疫病の記述が見られます。8世紀になると、天然痘がたびたび猛威を振るうようになりました。当時の日本の人口は約450万人と推定されており、東大寺の正倉院に残る課税台帳を参考にすると、約100万~150万人、つまり当時の人口の約4分の1から3分の1が死去したともいわれます。

急速に天然痘が蔓延した背景には、農業生産の拡大による人口の増加、遣唐使の往来による対外関係の活発化、そして平城京などの建設による都市への人口の集中があげられます。ユーラシア大陸各地に天然痘が広まって以降も、島国である日本へは入ってきていませんでした。そのため免疫を持つ人が少なく、急速に感染者が増大したようです。宮中の有力者だった藤原不比等の4人の息子（武智麻呂《むちまろ》、房前《ふささき》、宇合《うまかい》、麻《ま》呂《ろ》）は天然痘によって737年に相次いで死去し、藤原氏と対立して死に追いやられた長屋王のたたりではないかと噂されました。

疫病の流行と相次ぐ政争のため、時の聖武天皇は平城京での生活に不安を覚え、短期間に遷都をくり返したのち、745年に平城京にもどります。医療が未発達だった当時は宗教にすがるほかに対策はなく、聖武天皇は各地に国分寺を建立、さらに奈良の東大寺で大仏（盧舎那《るしゃな》仏）の建造を始めました。もっとも、これらの事業で国の財政は逼迫《ひっぱく》し、農地はすべて国有とする公地公民制を緩和して、私有地の開拓を認める墾田永年私財法が導入される一因となります。

平安時代になっても天然痘はたびたび流行し、10世紀には関白を務めた藤原道兼が関白に就任してわずか数日で、天然痘により死去します。このため、通兼の弟で家督を継ぐはずのなかった藤原道長が氏長者《うじのちょうじゃ》（一族の長）となり、藤原氏の最盛期を築くことになります。

13世紀ごろになると、天然痘は日本では感染者が恒常的に発生する風土病となりました。戦国時代末期に現在の東北地方南部を勢力下に置いた伊達政宗は「独眼竜」の通称で知られますが、これは幼児期に天然痘に感染して角膜を損傷し、右眼を失明したからです。かつては、失明の大きな要因が天然痘の後遺症だったのです。明治期の文豪である夏目漱石も3歳ごろ天然痘に感染しており、後世に残されている肖像写真をよく見ると、顔にはあばたがあります。

新大陸に持ち込まれた病原菌

15世紀に入りペストの大流行が沈静化したヨーロッパでは、食肉の消費が増加して、アジアを原産地とする香辛料の需要が増加したことや、大型帆船の建造技術が向上したことなどを背景に、大航海時代に突入します。

イタリア半島に存在したジェノヴァ共和国出身のコロンブスは、スペイン王家の支援を受けて西回り航路でのインド到達を目指し、大西洋を横断。1492年、中米のサン・サルバドル島（現在のバハマ国）に到達しました。続いて、やはりイタリア半島に存在したフィレンツェ共和国出身の地理学者アメリゴ・ヴェスプッチは、この地がインドではなく未知の大陸だと主張します。ほどなくヨーロッパ人による南北アメリカ大陸の植民地化が進められます。

南北アメリカ大陸の先住民は、約2万〜1万5000年前、現在のロシアとアメリカ合衆国のアラスカ州との間に位置するベーリング海峡が氷結して陸続きとなっていた時期に、アジアから渡来したと考えられています。彼らの多くは文字を持たず、文化の伝播にばらつきがありました。農耕や牧畜が広まった地域も限られ、小規模な部族集団に分かれて暮らしていました。ただし、現在のメキシコ中部ではアステカ帝国、南米のアンデス山脈一帯では、インカ帝国という強大な国家が成立します。

1519年にスペインの軍人コルテスは約500人の兵を率いて中米に渡り、現在のメキシコ東部に上陸して植民都市ベラクルスを建設します。ここを拠点にしてアス

中南米における西洋人の侵略

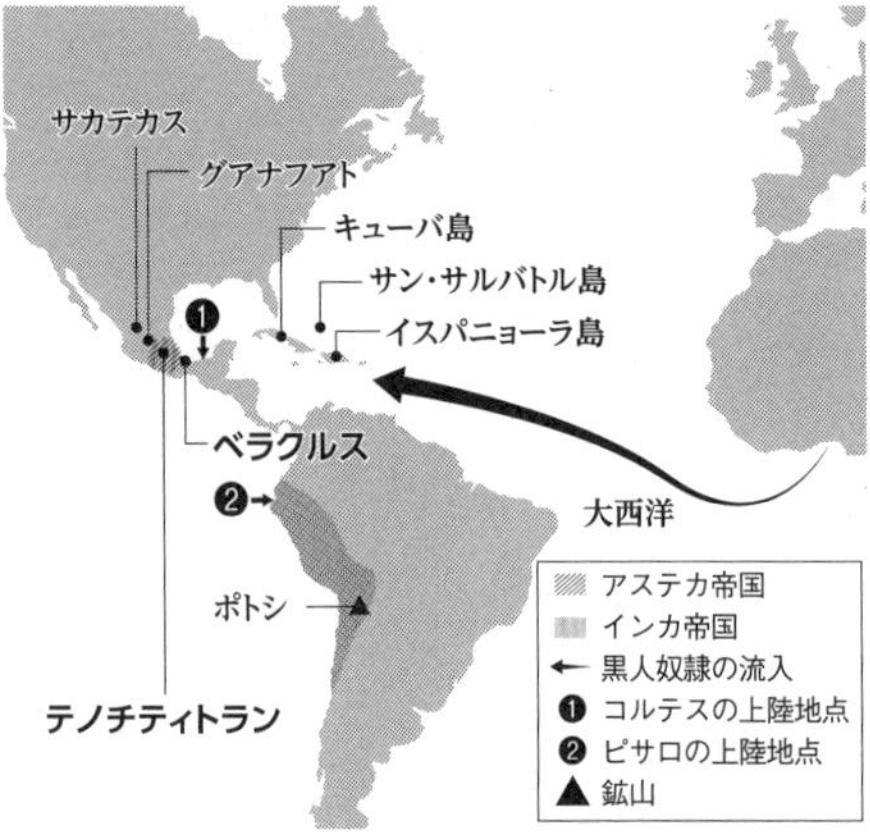

西洋人がもたらした天然痘をはじめとした感染症が中南米で大流行し、二つの帝国が滅ぶ。

テカの都テノチティトランへと進撃しました。皇帝モクテスマ2世らは、初めて見る白人を、彼らの信奉するケツァルコアトル神（翼のある白蛇）の化身と誤認して抵抗を控えたため、コルテスは少人数でアステカを制圧します。

　続いて1532年にスペインの軍人ピサロが、185人の兵を率いて現在のエクアドルに上陸し、インカ帝国の領内に侵攻しました。

　ピサロは皇帝アタワルパにキリスト教への改宗を求めますが、拒否されるとアタワルパを捕縛して大量の金銀を要求し、翌年にはアタワルパを処刑してインカを制圧します。

アステカ帝国とインカ帝国がたやすく征服されてしまったのは、スペイン人が銃器や馬を使いこなしたという武力の差があるでしょう。しかし、それ以上に大きな打撃を与えたのが、白人によって持ち込まれた感染症でした。感染症は麻疹、結核、インフルエンザ、百日咳などさまざまで、その中でもとくに猛威を振るったのが天然痘だといわれます。

コルテスが襲来したのち、アステカ人は天然痘に次々と感染。全身に腫れ物ができ、容易に身体を動かすことさえできなくなります。武人も民衆も次々と倒れ、スペイン人に抵抗する気力も失っていきました。スペイン人を招き入れたモクテスマ2世は玉座を追われ、代わって即位したクィトラワクは天然痘に感染して死去します。続いて即位したクアウテモクはスペイン人に殺害され、アステカ帝国は1521年に滅亡しました。

インカ帝国もほぼ同様の運命をたどります。アタワルパの死後、ピサロによって形式的に次の皇帝とされたトゥパク・ワルパは、天然痘に感染して死去しました。スペイン人の支配下に置かれつつ、インカ皇帝の一族とその支持者は細々と抵抗を続けましたが、1572年には最後の皇帝トゥパク・アマルがスペイン軍に処刑されます。

免疫に地域差があった理由

前述したように、天然痘はもともと、ラクダあるいは牛の感染症に由来すると考えられています。麻疹と結核は牛、インフルエンザは豚と家禽類、百日咳は豚と犬の感染症に由来するとされています。ユーラシア大陸のアジア人やヨーロッパ人は、数千年も前からこれらの家畜と接し、何度も感染症が流行したことによって、天然痘などに対する免疫をある程度まで獲得していました。

一方、南北アメリカ大陸にもバイソンなどのウシ科の動物や、コヨーテなどのイヌ科の動物がいましたが、先住民はこうした動物を家畜化しなかったので、接する機会をほとんど持たずに生きてきました。インカ帝国ではリャマやアルパカといった家畜が飼育されていましたが、もっぱら荷役目的で、乳をしぼるなど人が接する機会は少なかったようです。このため、南北アメリカ大陸の先住民は、動物に由来する感染症への免疫力がきわめて弱かったと考えられています。

スペインに続いて、ポルトガル王国やフランス王国、イングランド王国などのヨーロッパ諸国が南北アメリカ大陸で植民活動を進めます。ヨーロッパ人は先住民の多くを奴隷にして、金や銀の採掘、サトウキビやコーヒーを栽培する農場での労働に動員しました。鉱山や大規模農場では、多数の労働者が狭い住居に密集して住むことを強要されます。

加えて、ヨーロッパ人は異教徒である南北アメリカ大陸の先住民を同じ人としてあつかおうとしなかったので、衛生状態は劣悪でした。食料事情も悪く、十分な医療を受けることもできず、先住民の間では病気が蔓延しました。

白人が到来した当時、アステカの人口は１０００万人以上、インカは１５００万人以上と推定されていますが、じつにその約90％が17世紀までに命を落とします。

最初期に白人が到来したカリブ海の島々も同様の状況で、キューバ島やイスパニョーラ島などでは先住民がほぼ絶滅します。奴隷労働による酷使や感染症によって死んだ先住民の穴を埋めるため、白人たちはアフリカ大陸から次々と黒人奴隷を連れてきました。この結果、現在のジャマイカやハイチなどカリブ海の一部の国々の住民はほぼアフリカ大陸出身者となり、西アフリカの伝統的な民間信仰や音楽、舞踊などを取り入れた独自の文化が発展することになります。

スペインの敗戦で銀の流通が拡大

天然痘によって南北アメリカ大陸の先住民がヨーロッパから来た外敵にほとんど抵抗できない状況下、スペイン人は金や銀などの富を収奪していきます。1533年から翌年にかけての1年間だけで、スペイン人は3トンもの黄金を本国に移送しました。これは2020年の貨幣価値で200億円以上に相当します。

1545年、現在のボリビアの南西に位置する都市ポトシにおいて、大規模な銀の鉱床が発見されました。ほどなく、鉱山労働者が流入して人口が急増し、スペイン人の都市が築かれます。初期のポトシ銀山では、採掘も精製も先住民による手作業でした。しかし、スペインは1572年からより合理的なアマルガム法を導入します。これは採掘された鉱石に水銀を混ぜることによって銀と水銀の合金（アマルガム）をつくり、そのあと水銀を蒸発させて純度の高い銀のみを抽出する手法です。さらにスペイン人は、先住民の成人男子を7年おきに1年間働かせるミタ制度によって大量の労働者を強制的に動員し、18世紀までに120万トンもの銀を産出しました。

スペイン人はこのほか、現在のメキシコに位置するサカテカスやグアナファトなどでも多くの銀山を開発します。中南米では、鉱山業によって巨万の富を手にした植民者たちが、ネーデルラント連邦共和国やイングランドで生産された毛織物などヨーロッパの商品を次々と買い入れ、大西洋をまたぐ貿易ルートが発展してゆくことになります。

中南米の銀はスペイン本国に大量に流入しました。しかし、時のスペイン国王カルロス1世は、カトリック諸国を束ねるカール5世として神聖ローマ皇帝を兼任していたことから、ヨーロッパ各地のプロテスタント（新教）勢力との宗教戦争に大量の銀を費やします。さらにネーデルラント、イングランド、フランスなど、同じく新大陸に進出した諸国との戦争も多発しました。1588年に起こったアルマダの海戦では、イングランドとネーデルラントの連合軍にスペイン艦隊が大敗。艦隊を失ったスペインは大西洋貿易の主導権を失います。スペインの王侯貴族は、戦争と贅沢な生活にかまけて国内産業の育成に投資しなかったので、中南米から収奪した富の多くは、農産物や工業製品の購入費、戦争の賠償金として他国へ流出していきました。

同時期には、日本でも生野《いくの》銀山（兵庫県）、石見《いわみ》銀山（島根県）の開発が進み、ヨーロッパでも現在のチェコでヤーヒモフ（ヨアヒムスタール）銀山が開発され、世界的に銀の流通量が急増します。それでも、16世紀中の世界の銀の生産量の約4分の3は、南北アメリカ大陸で産出されたものが占めていました。

富を手にした王族も倒れる

17世紀に入り、急速に流通量を増した銀の多くは、中国（清朝）に流入しました。当時のヨーロッパでは王侯貴族や商業の発達によって資産を増やした市民階級の間で、清で生産される茶や香料、絹織物、陶磁器といった品物の需要が高まっていたからです。イギリスの経済学者アンガス・マディソンの研究データでは、1700年当時、イングランドは世界のGDPの約3％、フランスは約6％、オスマン帝国は約8％を占める中、清はじつに22％を占めていたと推定されています。しかし、清は外国文化の流入による社会の混乱を避けるため貿易を制限しており、海外への勢力拡大に消極的だったので、商業資本主義の発達が進みませんでした。

一方、中世からヨーロッパの地中海商人の間では、長距離貿易のリスク分散と利益共有のため、航海のたびに共同出資が行われていました。オランダは1602年、国策で中小規模の貿易商店を統合した東インド会社を設立します。同社は出資者による株式の売買を自由としたうえで、1回の航海で解散せず継続的に活動し、世界最初の株式会社と呼ばれます。

17世紀には、銀の流通拡大と、ヨーロッパと南北アメリカ大陸やアジアを結ぶ遠隔地間の商業取引の増加によって、西欧各国では株式会社の設立が相次ぎ、投機ブームが起こります。1630年代のオランダでは、オスマン帝国から伝わり上流階級の間で愛好されていたチューリップを投機目的で取引することが大流行し、チューリップの価格が大暴騰したのち、その反動で1637年には大暴落して、経済恐慌を招くことになりました。

イングランドとスコットランドが併合して成立したグレートブリテン王国（イギリス）では、18世紀になるとスペイン領アメリカとの貿易独占権を持つ南海会社の株価が暴騰しますが、その反動で1720年に株価が大暴落しました（南海泡沫事件《なんかいほうまつじけん》）。チューリップバブルと南海泡沫事件は、初期のバブル経済の代表例といわれます。

こうして資本主義の下地が築かれたヨーロッパ諸国ですが、17〜18世紀には、北米への植民を進めていたイングランド女王メアリ2世、中南米の大部分を支配していたスペイン国王のルイス1世、カリブ海やカナダに領土を持っていたフランス国王のルイ15世らが相次いで天然痘で死去しました。南北アメリカ大陸の富を収奪してきたヨーロッパの王族も、感染症の脅威から逃れることはできなかったのです。

当時の天然痘への対策はほかの感染症と同じく、患者を隔離したり、感染者が発生した地域を封鎖したりするほか、患者の身体から汚染された血液を意図的に出血させる（瀉血）、ビールをくり返し飲んだり、新陳代謝を高めたりするといった方法しかありませんでした。

北米での英仏の立場が逆転

16世紀以降、中南米の大部分がスペイン領・ポルトガル領となった一方、北米においてはイギリスとフランスが植民地開発を進めました。18世紀中期には、北米の東海岸で、のちにアメリカ合衆国が独立したときの最初の13州にあたる地域がイギリス領となっていましたが、内陸のミシシッピ川流域から五大湖周辺、さらに現在のカナダの東部にあたる広範な地域はフランス領でした。

たがいに北米での勢力圏の拡大をはかっていたイギリスとフランスは、1754年に衝突。現地の先住民(アメリカン・インディアン)の諸部族を巻き込んだフレンチ・インディアン戦争が勃発します。現在のカナダとアメリカにまたがるオンタリオ湖の南岸に住んでいたイロコイ族の連合はイギリスに与《くみ》し、これと近い地域に住むモホーク族、ミクマク族などはフランスに与しました。

戦闘は1763年まで続き、同時期のヨーロッパでは七年戦争が起こり、プロイセンに与するイギリスとオーストリアに与するフランスは、それぞれ海外植民地から得た兵員と物資を大々的に投入することになります。フレンチ・インディアン戦争はイングランドの勝利に終わり、フランスは北米植民地の大部分をイギリスに奪われたうえ、インドでのイギリスの立場も優勢となり、イギリスの世界における覇権が確立されました。

なお、フランスはこのときの戦費に加え、1780年代に発生した国内の飢饉で財政が逼迫したため増税に踏み切りました。それが引き金となり、のちにフランス革命が発生します。

英仏の明暗を分けたフレンチ・インディアン戦争にも、天然痘が少なからず関係しています。戦時中、先住民の諸部族の間では天然痘が流行し、イギリスの勢力拡大にも影響を与えました。英仏間の戦闘が終了したのちも、オタワ一帯の先住民は族長ポンティアックを中心としてイギリス軍に抵抗を続けました。このポンティアック戦争でイギリス軍の指揮官だったアマーストは、意図的に先住民の間に天然痘のウイルスが付着した毛布やハンカチを配ったともいわれます。事実であれば、ウイルスを利用した生物兵器の先駆けともいえるでしょう。

太平洋にも広がった感染

ヨーロッパ人によって持ち込まれた天然痘が多大な被害をもたらした地域は、南北アメリカ大陸だけではありません。現在のトンガやキリバスなど太平洋上に点在するポリネシアの島々や、オーストラリア大陸も同様です。南半球に位置するオーストラリアは、有史以前から数万年にわたり、外部地域との交流がほとんどなく、野生動物の家畜化が進んでいなかったので、先住民であるアボリジニには、ヨーロッパやアジアで見られる各種の伝染病への免疫がほとんどありませんでした。

ところが、18世紀以降に西洋諸国の船が捕鯨や貿易の過程でポリネシアの島々に立ち寄るうち、船員が持ち込んだ感染症が広がり、先住民の人口は激減します。

オーストラリア大陸は、１６４０年代にオランダの探検家タスマンが訪れたのち、イギリス海軍のジェームズ・クックが１７７０年に本格的な調査を行い、領有を宣言しました。１７７６年にアメリカ合衆国が独立したのち、イギリスは北米に代わる植民地として、オーストラリア大陸の開拓を進めます。

白人の入植がスタートした直後の１７８９年、さらに１８２９年、１８６１年にアボリジニの間で天然痘が大流行しました。18世紀末時点でオーストラリア各地に住むアボリジニの人口は30万〜１００万人と推定されていますが、初期に開拓が進められた南部では、白人による土地の収奪や意図的な殺戮《さつりく》のほか、天然痘をはじめとする感染症の蔓延でアボリジニの半数が死亡したといわれます。

19世紀に入ると、オーストラリアでは白人による大規模な都市建設が進められ、羊毛の輸出、石炭の採掘、のちには金鉱の発見によって、大英帝国と呼ばれたイギリスの太平洋における軍事的・経済的な拠点の一つになります。

こうしてアジア・太平洋地域でも勢力圏を広げたイギリスですが、国内での茶の消費量が増えるにつれ、その輸入元である清との貿易赤字がかさんでいきました。このため、イギリスはインドで採集した麻薬のアヘンを清に売り込むことで貿易収支の改善をはかります。清はこれに反発して1840年にアヘン戦争が起こりますが、イギリス軍に大敗します。これ以降、清はそれまで貯め込んでいた銀を、イギリスをはじめとする西洋列強に奪い取られるようになります。

初めて確立されたワクチン療法

オーストラリアへの入植が進んでいたころ、イギリスで画期的な天然痘への対応策が生まれます。前述したとおり、人が感染する天然痘と同系統のウイルスによって発生する感染症には、牛が感染する牛痘《ぎゅうとう》が存在します。牛痘は人にも感染しますが、手に小さな腫れ物ができる程度です。天然痘に感染した人の顔にはあばたが残りますが、イギリス南部のグロスターシャー州では昔から「乳しぼり女にあばた顔はいない」と言い伝えられてきました。イギリスの医師エドワード・ジェンナーは、牛痘に感染したことのある酪農関係者は天然痘に感染しない、という事実に気づきます。

ジェンナーは18年間にわたって研究を重ね、「牛痘は天然痘への免疫をもたらす」と確信し、1796年、牛痘に感染した女性の腕から採集した水疱の膿を8歳の男児に接種しました。少年は微熱に見舞われたもののすぐに回復します。約6週間後、ジェンナーは男児に天然痘の膿を接種しましたが、発病しませんでした。

この実験によってジェンナーは免疫の理論を確立。牛痘を接種することで天然痘への感染を予防する「種痘法」を始めます。ジェンナーはこの治療法を、ラテン語で「雌牛《めうし》」を意味する「vacca」から「vaccination」と名づけました。これが天然痘のみならず、多くの感染症の治療に使われる「ワクチン」と、その語句の由来です。

男児に天然痘の膿を接種するジェンナー（Shutterstockより）。

じつは、免疫の概念はジェンナーが単独で発見したわけではなく、長年にわたって積み重ねられた下地がありました。天然痘

免疫獲得に至るまでの実験

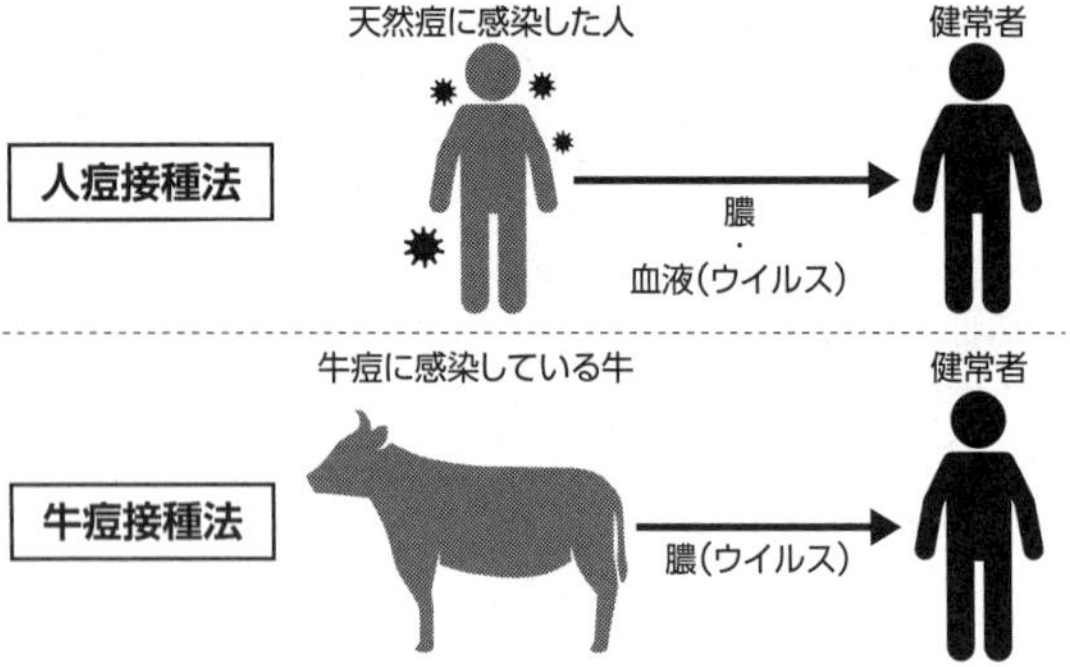

従来は人痘接種法が行われていたが、牛痘接種法にとって代わられた。

に一度感染して回復した人は再び感染しないという事実は、古代から知られていたのです。

17世紀のオスマン帝国では、軽症の天然痘患者から採集した水疱の膿や血液を健常者に接種する「人痘接種法」が行われていました。接種された人は、たとえ発症しても自然に感染する場合より軽症で済むケースが多く、あばたも残りませんでした。ただ、被接種者の約2～3％が死亡したといわれ、安全な治療法といえませんでした。

中国大陸でも、18世紀の清代で編纂された医学書『医宗金鑑《いそうきんかん》』『痘疹定論《とうしんていろん》』などに、人痘接種法についての記述があります。人痘接種法が始められた時期は不明ですが、遅くとも17世紀の明代《みん》には行われていたようです。

1710年代にオスマン帝国に赴任していたイギリス大使の妻であるモンタギュー夫人は、オスマン皇帝の後宮に人痘接種で天然痘の感染を免れた女性が多いことを知り、この技術をイギリスに持ち帰って広めます。モンタギュー夫人は、自身の2人の子どもにも人痘接種を受けさせて成功しました。1721年にはロンドンのニューゲート監獄で6人の囚人に対して人痘接種法の実験が行われ、全員が免疫を獲得します。その後、6人は実験の見返りに恩赦されました。

18世紀後半になると、ヨーロッパ各地でも人痘接種法の技術が知られるようになりますが、感染を恐れる意識から抵抗感も根強く、広く普及しませんでした。それでも、医学者の間では免疫の概念が認識されるようになっていきます。ジェンナーはこうした時代背景のもとで、牛痘による免疫の獲得に着目したのです。

ジェンナーによる種痘法の効果はしだいに認められ、19世紀初頭にはヨーロッパ各国に広がります。スペイン国王カルロス4世は、自分の子どもに種痘を受けさせてその効果に感嘆しました。そして、1803年に医師のフランシスコ・ザビエル・バルミスを中南米の植民地に派遣し、多くの住民に種痘を受けさせました。ほどなく、ヨーロッパ各国は国民への種痘の実施を進めます。

東大医学部は種痘所から生まれた

日本の江戸時代でも、風土病となっていた天然痘がたびたび各地で流行しました。とくに子どもが感染して死亡するケースが多く、天然痘を司るとされた「疱瘡神」を祀る民間信仰が広まります。江戸時代には美人の第一条件として、顔にあばたのないことがあげられていたほどです。

こうした中、18世紀後半、秋月藩《あきづき》（現在の福岡県）出身の医師である緒方春朔《おがたしゅんさく》は、海外との貿易の窓口となっていた長崎に遊学した折、清で刊行された『医宗金鑑』で人痘接種法を知り、１７８９年に国内で初めて人痘接種法を実施して成功しました。

さらに幕末期の１８４９年には、足守藩《あしもり》（現在の岡山県）出身の医師である緒方洪《こう》庵《あん》が、牛痘を利用したジェンナー式の種痘法を行う除痘館《じょとうかん》を大坂に設立します。なお、洪庵は春朔とは血縁のない人物です。各地の西洋医学者と交流があった洪庵は、自作の種痘ワクチンを全国に配布して種痘法を広めました。洪庵は適塾という蘭学塾も開いており、これが大阪大学医学部の前身となります。

適塾は医学のみならずさまざまな西洋の学問を教え、のちに慶應義塾を創設する福澤諭吉、福井藩の藩政改革を進めた橋本左内《はしもとさない》、長州藩の軍制を整備した大村益次郎《おおむらますじろう》、明治維新後に外交官として活躍する大鳥圭介《おおとりけいすけ》など、多彩な人材が集まりました。

1858年、幕府はアメリカ、イギリス、フランス、オランダ、ロシアの5カ国と修好通商条約（安政五カ国条約）を結びました。これにより、外国との交流を通じて感染症が持ち込まれる危険性が高まります。幕府は条約の調印に先立ち、江戸の神田に牛痘の接種を行う「種痘所」を設立しました。これがのちに、西洋式の薬学や解剖学なども研究する西洋医学所に発展し、東京大学医学部の前身となります。

明治維新後、政府は1876年に「天然痘予防規則」を定め、国民に種痘の接種を義務づけました。これ以降、国家的に感染の防止策がとられたものの、明治期を通じて6回流行し、そのたび2万～7万人が死亡しました。昭和期になると、年間の死者数は100人ほどまでに低下します。

第二次世界大戦が終結した次の年には、国内の衛生環境が悪化した状態で、中国大陸や東南アジア、太平洋上の島々など海外から多くの軍人や民間人が帰還。1万80

00人もの感染者が発生、約3000人が死亡しました。このため、種痘の緊急接種などが大々的に行われ、戦後の復興が進んだ1956年以降、天然痘の発生は見られなくなります。それから20年後の1976年をもって、日本国内の天然痘は撲滅されたと判断され、種痘の定期接種は廃止されました。

国際協力で実現した撲滅

20世紀に入ると、日本や欧米各国では種痘の普及によって天然痘の感染が激減します。しかし、第二次世界大戦後も、近代的な医療が不十分な東南アジアやアフリカ大陸、南米など33カ国では、引き続き天然痘が猛威を振るい、患者数は2000万人、死亡者は400万人にのぼると推計されていました。

戦後に発足したWHOは、1958年の総会で「世界天然痘根絶計画」を可決します。総額1億ドルもの資金が投入され、ワクチンの増産と管理が進められ、対象とされた国々では種痘の接種が実施されました。接種率を上げるだけでなく、サーベイランス（継続的な感染の監視と分析）と封じ込めがはかられ、「患者を見つけ出し、患者周辺に種痘を行う」という方針がとられます。

こうした取り組みによって、1977年にアフリカ東部のソマリアで発生した患者を最後に、世界のどこでも天然痘の流行は見られなくなりました。それから2年の監視期間を経て、1980年5月にWHOは天然痘の「世界根絶宣言」を発します。天然痘は、人類史上初めて、ほぼ完全に撲滅された感染症となりました。

その後、各国が保有していた天然痘ワクチンの多くは廃棄されましたが、アメリカとソビエト連邦（ソ連）は生物兵器対策のために保存を続けました。この一部は、1990年代のソ連崩壊後の混乱下で海外に流出したともいわれています。日本では21世紀に入って以降、バイオテロや再度の流行を警戒し、天然痘ワクチンの備蓄が再開されました。

現在でも種痘によって10万〜50万人に1人の割合で接種後に脳炎を発症する恐れがあり、少数例ながら、摂氏37度以上の発熱、てんかん、全身の発疹や水疱などの副作用が生じる場合もあります。このため医学界の一部には種痘や各種のワクチン接種に強く反発する声も存在しますが、現時点ではこれ以上に有効な感染症対策はないといえます。

見逃せない感染症③

犬ばかりでなく多くの動物が媒介する「狂犬病」の恐るべき致死率

数ある感染症の中でも、発症後の死亡率はほぼ100%で、確実な治療法がない狂犬病は、もっとも恐ろしい疫病といえるでしょう。

病名は犬にかまれることで感染する事例が多いことに由来しますが、狂犬病ウイルスは、犬だけでなく、猫や豚、キツネ、アライグマ、マングースなど各種の哺乳類を宿主にしています。このため、犬以外の家畜や野生動物にかまれて感染するケースも少なくありません。

狂犬病に感染した動物は、脳や脊髄の中枢神経が侵され、極度に興奮して暴れる場合と、身体がまひして動きが鈍くなる場合があります。人間が感染すると、やはり極度に興奮して暴れ出したり、身体のまひ、高熱、運動失調、昏睡、精神錯乱ほかの症状を起こし、3～5日で死に至ります。発症後はのどの筋肉がまひして水を飲むのが困難になるため、水を恐れる事例が多く見られることから、「恐水病《きょうすいびょう》」とも呼ばれます。

人類は2万～4万年前に犬を家畜化するようになったといわれ、犬をはじめ各種の家畜や野生動物によって媒介される狂犬病は、古代から不治の病として恐れられてきました。ただし、狂犬病ウイルスは、潜伏期間が20～90日（場合によっては約1～2年）と長いのが特徴です。このため、狂犬病ウイルスを持っている動物にかまれても、その直後から継続的にワクチンを接種して発症を未然に防げば助かります。

第二次世界大戦後、日本では飼い犬へのワクチン接種や野犬の駆除を徹底し、1957年以降は国内での感染者は発生していません。しかし、海外においては、イギリス、スウェーデン、オーストラリアなど一部の国をのぞいて、狂犬病は根絶されていません。WHOの推計によれば、世界で年間5万人以上が狂犬病のため命を落としています。

黄熱

―― yellow fever ――

歴史上には、古代の記録がほとんどなく、近代以降に広がった感染症も少なくない。白人による南北アメリカ大陸の開拓が進められて以降に蔓延した黄熱は、その代表例といえる。

18世紀に成立した新興のアメリカ合衆国は、領土の拡大、隣接する中米に対する主導権の確立、安全な貿易ルートの確保に成功するが、その裏には黄熱との深い関わりがあった。

野口英世はなぜ挫折したのか

日本政府は2006年、現在のガーナ共和国で黄熱の研究中に病死した野口英世の業績を記念し、「野口英世アフリカ賞」を設立しました。この賞は、アフリカでの感染症対策や医学研究などに大きな業績のあった人物を授賞の対象としています。

黄熱は日本ではなじみの薄い病気ですが、野口の生涯を知る人ならば、野口がその研究中に志《こころざし》なかばで世を去ることを余儀なくされたことをご存じでしょう。

北里柴三郎を所長とする伝染病研究所で細菌学を学んだ野口は、横浜港の検疫所に医官補として勤務したのち、1900年に渡米します。1904年には、「石油王」と呼ばれた実業家ロックフェラーが創設したロックフェラー医学研究所（現在のロックフェラー大学）に参加し、梅毒病原体（スピロヘータ）の研究で成果をあげます。

このころ、ロックフェラー医学研究所をはじめ、アメリカの医学界が力を入れていたのが、中南米で猛威を振るう熱帯性伝染病である黄熱やマラリアの対策でした。当時は多くのアメリカ企業が中南米の大規模農場や鉱山に出資しており、現地の労働者の健康を維持することは、アメリカの国益と深く結びついていたのです。

野口は1918年に南米のエクアドルへと渡り、らせん状の細菌であるレプトスピラが黄熱の病原だと発表し、さらにワクチンを作成して効果を証明します。ところが、アフリカの黄熱患者には野口が作成したワクチンは効きませんでした。そのため、欧米の医学界では、野口の研究成果に対する疑念の声があがります。野口はアフリカ西部の英領ガーナに渡って研究を続けますが、自身も黄熱に感染し、1928年に死去しました。

野口がエクアドルで発見したレプトスピラは、黄熱とよく似た症状を起こすワイル病（レプトスピラ症）の病原体だったとされています。野口の生前より、南アフリカ出身の医学者マックス・タイラーは黄熱の病原は細菌ではなく、ウイルスだという説を唱えていました。ウイルスは従来の光学顕微鏡では認識できないほど小さく、病原の特定が遅れたのです。

このように、野口の研究は不十分な形で終わりましたが、野口と黄熱の関わりは、大企業の主導による医療の発展、先進国による途上国の衛生向上、細菌からウイルスへの着目という時代の動きを象徴していました。

感染地区の象徴となった「黄色い旗」

黄熱は、英語ではそのまま「yellow fever」、ラテン語では黄色を意味する「フラヴァス（flavus）」と記されます。これは、胆汁に含まれる色素によって皮ふが黄色く変化する黄疸《おうだん》の症状に感染者が見舞われるためです。患者が黄色い衣服に身を包んだように見えるので「イエロージャケット」とも呼ばれ、かつては感染者の隔離地区には「イエロージャック」という黄色い旗が立てられていました。

黄熱ウイルスは、ジカウイルス感染症やデング熱、日本脳炎などのウイルスと近縁のフラビウイルスに属し、人だけでなく野生のサルも感染します。

人への感染は、黄熱ウイルスを保有している蚊に刺され、蚊の体液が人体に注入されることによって発生します。基本的に、人から人への感染は起こりません。黄熱の感染のしくみが解明されていなかった19世紀のはじめには、医師みずからが患者の吐《と》瀉物《しゃぶつ》を飲む実験が行われましたが、感染しませんでした。

なお、たとえ感染しても必ず発症するとは限らず、軽症のまま治るケースも少なくありません。

黄熱を媒介するのは、蚊の中でもヤブカ属に分類されるネッタイシマカです。気温が27〜30度、湿度が70〜90％の熱帯性気候に適応した蚊で、東南アジアや中南米など世界各地の熱帯地方に広く分布しています。

日本国内でも1950年代まで、沖縄県の南西諸島や東京都の小笠原諸島に生息していましたが、現在は完全に駆除されています。同じくヤブカ属に分類されるヒトスジシマカも黄熱を媒介し、今も日本列島で秋田県・岩手県以南の大部分の地域に生息していますが、ネッタイシマカにくらべると黄熱を人に感染させる能力は低いといわれます。

感染後の潜伏期は3〜6日で、発症後は主に肝臓・腎臓が侵され、発熱や頭痛、筋肉痛、おう吐、吐血などの症状が出ます。重症の場合は、胃酸のため胃の内容物が黒くなり、血の混じった黒い吐瀉物をはき出すので「黒吐病《こくと》」とも呼ばれます。症状が進むと、心不全や肝性昏睡などの症状を起こして、発症者の約15％が重症化し、さらに重症者の20〜50％は発症から5〜10日で死に至ります。一度感染して生きのびた人は免疫が獲得され、再び感染することはほぼありません。

アメリカの首都機能を壊滅させる

黄熱は西アフリカの風土病と考えられていますが、大航海時代まで西洋人には知られておらず、16世紀以前の正確な記録は残っていません。

記録上で最も初期の流行は、1647年にカリブ海に浮かぶ島、バルバドスで発生し、翌年には現在のキューバとメキシコでも流行しました。このため、以前はカリブ海の風土病ではないかと考えられていました。のちにアフリカ大陸でも症例が確認され、黒人奴隷によって南北アメリカ大陸に持ち込まれ、大西洋を挟んでの交易が盛んになるにつれて感染が拡大したと見られています。

アフリカ大陸から連れて来られた黒人は黄熱の免疫を持っているため、感染しても軽症の場合が少なくありませんでした。しかし、白人や南北アメリカ大陸の先住民は免疫を持っていなかったため、重症者が相次ぎます。

やがてヨーロッパ諸国にも広まり、1730年にはスペイン王国でも流行。1741年には南米のコロンビアでスペイン軍と交戦していたグレートブリテン王国（イギリス）軍にも多数の感染者が発生しました。

そして、1776年の独立宣言から間もない1793年、アメリカ合衆国の当時の首都だったフィラデルフィアで黄熱が大流行します。当時40万人いた市民の10％以上が約4カ月で死亡、人口の約3分の1が他地域へ逃げ出し、政府機能は一時的にストップしました。

当時は蚊がウイルスを媒介すると知られておらず、腐ったコーヒーや生ゴミから発生する有害なガス（瘴気）が病因と判断され、港では西インド諸島から荷揚げされた大量の商品が廃棄されたといいます。現在、この1793年の大流行は、大雨が降ったあとに蚊が大量発生したことが原因だったと考えられています。

アメリカがルイジアナを獲得できたワケ

フランスは現在もカリブ海のマルティニーク、グアドループなどを海外県として領有していますが、これらに加えて19世紀初頭まで、現在のアメリカ中部の仏領ルイジアナやイスパニョーラ島西部のハイチなどがありました。

アメリカにおける黄熱の流行地

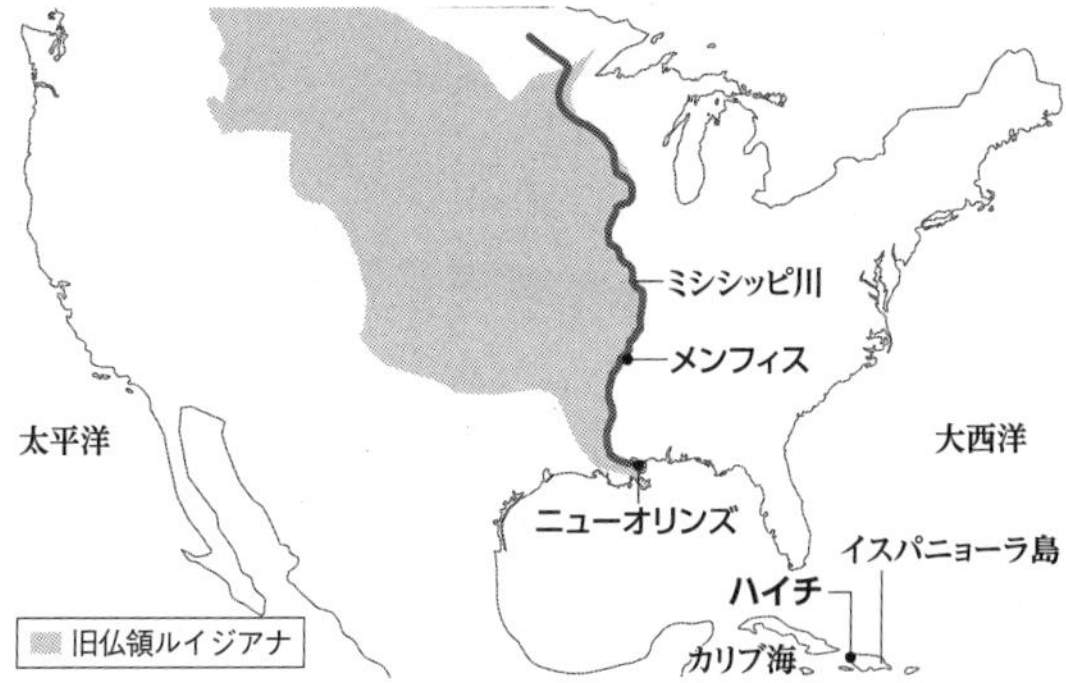

アメリカが新たに獲得した地を流れるミシシッピ川流域で黄熱が流行した。

　黒人奴隷が住民の大部分を占めるハイチでは、1801年に奴隷制の廃止を唱える黒人指導者のルベルテュールが大規模な反乱を起こします。鎮圧のため、フランス皇帝ナポレオン1世は、義弟である陸軍少将ルクレールを指揮官とする鎮圧部隊を派遣しました。

　ところが、鎮圧部隊の将兵は現地に着くやいなや次々と黄熱に感染して倒れ、ルクレール自身も病死します。その後もハイチの黒人奴隷は抵抗を続け、1804年、ついにフランスからの独立を果たしました。

　この間、フランスはヨーロッパでイギリスとも戦争をしており、巨額の経費をかけて北米大陸の植民地を維持するのは困難とナポレオンは判断。ルイジアナをアメリカに売却しました。黄熱の蔓延によって、フランスが南北アメリカ大陸での植民地経営を縮小し、アメリカが中西部へと領土を拡大する一因になったのです。

旧仏領ルイジアナは13の州にまたがり、広大な地域を獲得したアメリカは開拓を進めて大規模農場を建設しました。黒人奴隷を大量に動員して栽培された綿花は南部の大きな輸出産業となります。しかし、しだいに各地で黄熱が流行します。

とくに、ミシシッピ川の河口に位置するニューオーリンズでは、1853年の大流行で約9000人が死亡したほか、何度も黄熱の流行に見舞われます。同地は南部で生産される綿花を出荷する物流の要衝であり、移民が急増していました。

当時すでに、一度感染した人は再び感染しないこと（免疫の獲得）が広く知られていたので、「黄熱に感染した経験があること」は就労や住宅の購入、結婚などを左右する地域共同体の〝会員権〟のような役割を持っていました。そのため、ニューオーリンズにやってきた移民の中には、意図的に感染しようと黄熱の感染者に抱きつく人もいたそうです。

ただし、前述したように、人体の接触で黄熱は感染しないので、この方法は効果がなかったはずです。

ニューオーリンズと同じくミシシッピ川に面するメンフィスも、南部における物流の要衝として発展していましたが、1878年に黄熱が流行。死亡者や、市からの退避者が相次ぎ、4万8000人だった人口が半分以下にまで激減します。同時期には中西部・南部のいくつもの都市で黄熱のため労働人口が急減し、物流網が維持できなくなり、経済活動に甚大な被害が発生しました。

アメリカの中南米支配と黄熱対策

北米では周期的に黄熱が流行し、カリブ海のキューバやバハマ、中米のメキシコやグアテマラ、南米のコロンビアやエクアドルなど、熱帯・亜熱帯に位置する中南米諸国の風土病となりました。

19世紀後半、アメリカで商工業が急速に発展すると、中南米へ進出する企業が増加します。中南米への衣類や日用品、農業機械などの工業製品の輸出額は、1870年代には5000万ドルでしたが、1900年には1億2000万ドル、1914年には3億ドルを超えました。

さらに、中南米諸国のサトウキビやコーヒーといった大規模農場や鉱山、鉄道、工業施設などがアメリカ企業に買収されていきます。

アメリカ企業による中南米の経済支配を代表する存在が、ユナイテッド・フルーツ（現在のチキータ・ブランズ）です。同社は、ボストン・フルーツ会社ほか複数の企業が合併して1899年に発足し、キューバ、コロンビア、エクアドルなどで数多くの中小農民から農地を買収して大規模農場を経営。東南アジア産のバナナを品種改良して大量に栽培・販売しました。

加えて、農産物を加工する工場や商品運搬のための鉄道を敷設し、幅広い分野で現地の産業開発を主導します。同社にとって、農場や工場の労働者が黄熱やマラリアをはじめとする熱帯性伝染病に倒れる事態は事業の維持に関わる問題であり、衛生インフラの拡充や病院経営も進められました。

19世紀末には、このユナイテッド・フルーツを筆頭に、多くのアメリカ企業がキューバの大農場や製糖工場に出資しています。

こうした状況下、1895年にキューバはスペインからの独立を宣言しますが、スペインは独立派を弾圧しました。これに対し、アメリカでは、「新聞王」と呼ばれた実業家ハーストが発行する『ニューヨーク・モーニング・ジャーナル』などがスペイン批判を大々的に展開します。そして国民世論に押される形でアメリカは1898年にスペインに宣戦。米西戦争(アメリカ・スペイン戦争)が勃発しました。この戦いに勝利を収めたアメリカは、スペイン領だったフィリピンやグアム島を獲得。キューバは独立を果たしたうえで実質的にアメリカの支配下に置かれます。

この戦争中、キューバのハバナ市に駐屯したアメリカ軍兵士に、黄熱感染者が続出します。対策にあたった軍医少佐のゴーガスは、市内の清掃を徹底させましたが、事態はほとんど改善しませんでした。そこでゴーガスは調査を進めるうちに、キューバの医師フィンレーが、蚊が黄熱を媒介する説を提唱していることを知ります。

人体実験で蚊による感染を立証

フィンレーは独自の研究結果にもとづき、1881年に蚊が黄熱を媒介する説を提唱していました。しかし当時の医学界では、腐敗物から発生する有毒ガスが病原だとする中世以来の瘴気説と、感染者の身体に直接接触することによって感染するという考え方が根強く、フィンレーの仮説はほぼ無視され続けました。

そんな中、1898年にイギリスの医学者ロスが、黄熱と同じ熱帯性伝染病のマラリアが体内にマラリア原虫を持つハマダラカに刺されることにより感染すると立証したことで、黄熱も蚊が媒介しているという仮説が注目を集めます。

1900年、アメリカ陸軍の軍医リードら医師団はフィンレーの仮説を検証すべくキューバを訪れ、軍人やスペイン系移民の労働者から志願者を募り、集団実験を実施します。その内容は、黄熱の感染者を刺した蚊がいる部屋に被験者が入り、蚊に刺されて、感染するかどうかを確かめるというものでした。

このとき、実験参加者には100ドルを支払い、発症した場合はさらに100ドルを支払う契約書が取り交わされています。

ちなみに、ほぼ同時期にアメリカの医学研究所に勤務していた野口英世の月収が約150ドルです。医師団は契約に当たっては、命に関わる可能性があることを事前に説明したうえで、黄熱を発症した場合は治療が受けられるという条件が提示されていました。

これまでも欧米では、医師がみずから被験者となったり、刑務所に収監された死刑因を対象としたりする人体実験がたびたび行われていました。そうした中、リードらの感染実験は、記録上、自由意思で参加者との正式な契約にもとづいた人体実験の最初の事例とされています。

現代の倫理観からすれば多くの問題がありますが、新薬開発などで行われる治験ビジネスの先駆ともいえるかもしれません。

実験初期には、蚊に刺されても感染して発症するケースと、しないケースが見られましたが、やがて黄熱に潜伏期間があることが判明します。感染者の血を吸った直後の蚊に刺されても感染せず、発症して3日以内の感染者を蚊が刺し、その蚊がさらに10日間経ってから健康な人を刺すと感染が起こりました。

医師団のメンバーもみずから被験者となり、その1人であったアメリカ人の細菌学者ラジアは黄熱を発症して死亡しますが、死の直前まで症状について詳細な記録を残しました。命をかけた研究の成果により、蚊を駆除することで黄熱が予防できるという知見が確立されたのです。

一方でリードらは、感染者の衣類や寝具を被験者が着用して感染が起こるかどうかも検証し、こうした媒介物からの接触感染は起こらないと結論づけました。

蚊を駆除して大西洋と太平洋をつなぐ

リードらの研究成果は、すぐには広く認知されませんでした。その真価が試される機会となったのが、20世紀初頭に進められたパナマ運河の開削事業です。

中米のパナマ地峡では、1881年からフランスの技師レセップスによって太平洋と大西洋を結ぶ運河の開削が試みられていました。レセップスは1869年にエジプトで、地中海と紅海を結ぶスエズ運河の開削に成功していました。ところが、パナマ周辺は険しい山岳地帯だったことに加え、黄熱とマラリアの蔓延によって作業員が次々と倒れたため、開削は中断を余儀なくされます。

その後、アメリカ政府が事業を引き継いで1903年に作業を再開し、かつてキューバに派遣されていた軍医ゴーガスが、黄熱とマラリアへの対策を指揮します。しかし、リードらの研究によって蚊が黄熱を媒介することはすでに立証されていたにもかかわらず、ゴーガスの上官らは、黄熱は瘴気によって発生する、人体間の接触で感染するといった古い見識にとらわれ、蚊の駆除に消極的でした。

　それというのも、イギリスのロスによって蚊がマラリアを媒介すると立証されて以降、ロスが進めた蚊の駆除法はマラリアに対しては一定の効果がありましたが、黄熱にはなかなか効果が見られませんでした。
　のちに判明することですが、マラリアを媒介するハマダラカは夜行性で昼間は休息し、幼虫が小さな沼地に生息するのに対し、黄熱を媒介するネッタイシマカは白昼から活動し、幼虫が人家の近くにある下水や水がめなどに生息するという生態の違いがあったからです。

パナマ運河の開通

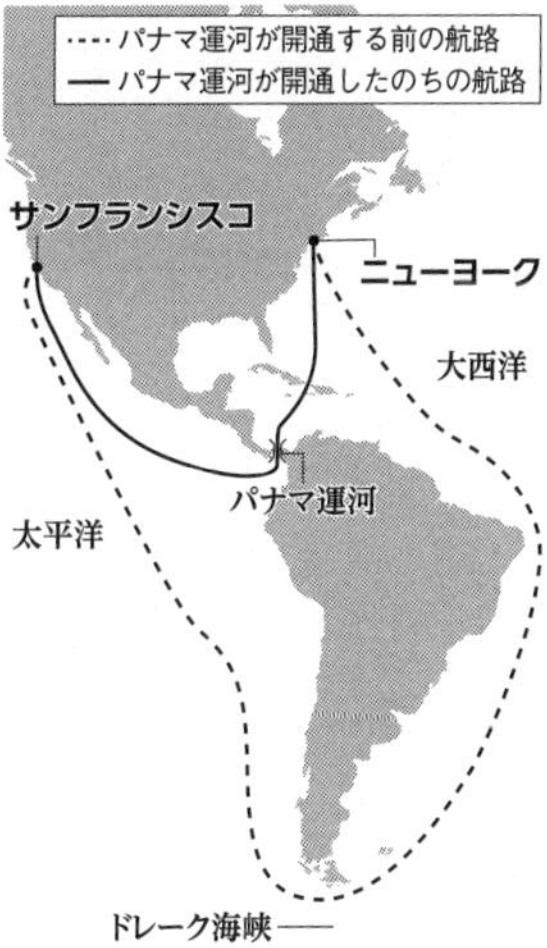

運河が開通したことで、大西洋から太平洋への航路が大幅に短縮された。

　ゴーガスの懸念どおり、パナマ運河の建設地周辺では次々と黄熱の感染者が発生します。1905年、新たに赴任した技師長のスティーブンスは、ゴーガスの方針に理解を示して全面的に協力します。ゴーガスは、蚊の生息地となる藪《やぶ》を焼き払う、水たまりに油をまいてボウフラが生息できなくする、ボウフラの卵を集めて処分するなど、徹底的に蚊の駆除をはかりました。

これらの措置によって作業員の感染数は激減したことで建設作業は進み、1913年にパナマ運河は完成します。それまで、アメリカ西海岸のニューヨークから東海岸のサンフランシスコへ向う船舶は、赤道を越えて南米大陸と南極大陸の間のドレーク海峡を通らなければなりませんでしたが、パナマ運河の開通によって航路が変わり、従来の航路とくらべて総距離は8400キロメートルも短縮され、航行に必要な日数も費用も大幅に削減されました。

熱帯性伝染病への勝利が、大西洋と太平洋を結ぶ航路による貿易網を発達させたともいえるのです。

パナマでの実績によって、蚊を駆除すれば黄熱を防げることが真に理解されるようになりました。

これ以降、中南米で活動するアメリカ企業の関係者や医療従事者は、各地で殺虫剤を散布したり、建物に網戸をつけたり、蚊の幼虫であるボウフラが発生しそうな沼から水を抜くといった措置を徹底するようになります。

財団の支援でワクチンが完成

キューバでのリードらによる感染実験や、パナマ運河の開削と前後する1901年には、アメリカでロックフェラー医学研究所が発足しました。創設者である実業家ロックフェラーは1870年にスタンダード・オイル社を設立、アメリカ各地にある数々の石油会社を傘下に収め、鉱山開発や化学、金融などの分野で巨万の富を手にします。

その強引な企業買収や利益の独占には非難の声もあがりましたが、富を社会に還元することと税金対策を兼ね、慈善事業に惜しみなく出資しました。ほどなく、野口英世もロックフェラー医学研究所に参加します。

さらに1913年には、医学研究のみならず、公衆衛生の向上や農業開発という幅広い慈善活動を手がけるロックフェラー財団が発足しました。同時期のアメリカでは、実業界を代表する富豪で「鉄鋼王」と呼ばれたカーネギー、「自動車王」と呼ばれたフォードも、ロックフェラーと同様、貧困対策や教育の普及ほかの慈善事業のため財団を設立しています。

黄熱ワクチンを開発したタイラー（Roger-Violet /アフロ）。

「世界を通じ人類福祉の増進」を目標に掲げるロックフェラー財団は、とりわけ医療分野に力を入れ、組織内の国際保健部（ＩＨＤ）は、中南米や東南アジアで黄熱やマラリアなどの熱帯性伝染病の克服を進めました。財団による感染症の根絶は、現地で経済活動に従事するアメリカ人の健康と安全の維持、アメリカ資本による経済支配に対する現地住民の不満を緩和することにもつながり、アメリカとの交易が活発な港湾都市では、とくに重点的に感染症対策が行われました。

冒頭でもふれたように、黄熱の病原はウイルスであると立証したタイラーは、１９３０年にロックフェラー研究所に移ります。その後、同僚のヒュー・スミスとともに１９３７年に黄熱ワクチンを完成させ、その業績によって１９５１年にノーベル生理学・医学賞を受賞しました。

ワクチンの完成に加え、１９４０年代以降、アメリカが中南米諸国で強力な殺虫剤のＤＤＴを大々的に散布したため蚊が激減し、黄熱感染者は縮小します。

アフリカ大陸では今も大きな脅威

黄熱ワクチンを接種をすれば、接種者の95％が免疫を獲得でき、その効果は10〜30年間持続するといわれます。とはいえ、医療が不十分なアフリカ大陸、中南米や東南アジアなどでは、多くの住民へのワクチン接種は非常に手間がかかる作業です。また、現在も発症後の患者に対する特効薬はありません。

第二次世界大戦後、先進国ではワクチンの普及と蚊の駆除の徹底により、黄熱の蔓延は抑えられていますが、１９６０年にはエチオピアをはじめとするアフリカ諸国で黄熱が大流行するなど、熱帯地域では引き続き猛威を振るっています。

黄熱には、人の多い地域で発生する都市型と熱帯のジャングル内で発生する森林型とがあります。都市型は人からネッタイシマカ、さらに人という経路で感染しますが、森林型は野生のサルの間での感染をネッタイシマカが媒介し、これが人にも感染するのです。

都市内での感染抑制にはワクチンが効果を発揮しますが、熱帯のジャングル地帯では絶えず野生のサルから蚊に黄熱ウイルスがうつるので、黄熱ウイルスを根絶できないのです。

このため、森林に近い地域で生活する人々や、林業従事者、ハンターなど森林に入って仕事する人々を通じて、黄熱ウイルスが森林から外に持ち出され、それが都市部に広がる危険性があります。

世界の黄熱感染者数は年間約20万人、死亡者は約3万人といわれ、2000年ごろから増加傾向にあります。この背景として、地球温暖化の影響でネッタイシマカの生息範囲や、年間を通じての活動期間が広がっている可能性が指摘されています。しかも、アフリカ大陸や中南米では、各国政府で把握している以外にも、未確認の感染者が多数いるのではないかと考えられています。

複数の国では検疫法によって黄熱ワクチンの接種が義務づけられており、西アフリカでは、2016年までに1億5000万人が黄熱ワクチンを接種しています。それでも2016年にはアフリカ西部に位置するアンゴラにおいて推定4000人以上が感染し、判明している限り、121人の死者が出ました。予防接種が不十分だったことが原因です。ほかにも、アンゴラから帰国した11人の中国人労働者の感染が確認されました。

アフリカ大陸における黄熱の蔓延は、産業開発の支援に訪れた国の人々も苦しめ、アフリカ諸国の経済発展を阻む要因の一つにもなっています。100年前の野口英世の戦いは、今も多くの医学者に引き継がれているのです。

チフス

——typhus——

ヨーロッパ制覇を目前としたフランス皇帝ナポレオン1世。その最大の軍事行動として起こされたロシア遠征だったが、あえなく失敗している。その理由は、一般的にはきびしい寒気やロシア側が取った作戦のためとされているが、じつはチフス（発疹チフス）の存在も大きな影響を与えていたのだった。

これ以外にもチフスは、さまざまな戦況を左右している。

症状が現れず感染が拡大

感染症の流行で問題となる一つに、1人の感染者から複数の人が感染する「スーパー・スプレッダー」があげられます。とくに自覚症状のない、無症状の感染者はスーパー・スプレッダーになりやすいのです。

20世紀のはじめまで、感染症の保菌者は必ず症状が現れると考えられており、保菌者でありながら発症しない健康保菌者（無症状病原体保有者）の存在は知られていませんでした。そんな中、初めて健康保菌者として報告されたのが、アイルランド系アメリカ人女性のメアリー・マローンです。彼女はチフス菌の保菌者でした。

1900年ごろから1907年にかけて、メアリーはニューヨーク近郊のいくつかの家で調理の仕事をしており、その家々で腸チフスが発生しました。感染者は22人、そのうち1人は死亡しています。メアリーを怪しんだ衛生技師が調べたところ、メアリーが保菌者であることがわかったため病院に隔離します。ところが、時間が経ってもメアリーに症状は現れず、健康なままでした。このことが報道され、「腸チフスのメアリー」として、メアリーは一躍有名になりました。

その後、メアリーは飲食関係の仕事に就かないことを条件に解放されますが、1915年にニューヨークの病院の産婦人科で調理師として働いていることが露見します。この病院では、25人の腸チフス感染者を出し、うち2人が死亡していました。

メアリーは病院に再び隔離され、死ぬまで外に出られませんでした。死後、解剖すると、胆嚢《たんのう》にチフス菌の感染巣が見つかりました。胆嚢がチフス菌に感染すると、発症しないまま生涯にわたって菌を排出し続けるのです。

このメアリーの存在は、たとえ症状が出ていなくとも、検便などを実施することにより、感染を予防ことができるといった、衛生に関する意識を高める結果にもつながりました。

症状から命名された病気

高熱や発疹をともなう疾病の総称がチフスです。「腸チフス」と「パラチフス」「発《ほっ》疹《しん》チフス」の3種類が知られています。このチフスという名称は、患者が高熱で朦朧《もうろう》

3種類あるチフス

病名	腸チフス	パラチフス	発疹チフス
病原体	チフス菌	パラチフス菌	発疹チフスリケッチア
症状	発熱後、胸や背中、腹にピンクの発疹が出る。下痢または便秘、長く続く高熱により体力を消耗し、無気力な表情となる。		手足に痛みをともなう発熱を起こしたのち、数日で発疹が全身に広がる。発熱から2週間程度で急速に熱が下がる。
治療	抗菌薬を接種		

原因が異な症状が似ていたため、近代まで分類されなかった。

とした状態を表す「ぼんやりとした」という意味のギリシア語の「typhos（typhus）」に由来し、古代ギリシアの医師ヒポクラテスによって命名されたといいます。

腸チフスは「チフス菌」、パラチフスは「パラチフス菌」を病原体とし、ともにサルモネラ菌の仲間にあたります。

感染すると、通常7〜14日の潜伏期間を経て発熱などの症状が出たのち、胸や背中、腹にピンク色の発疹、下痢または便秘、長く続く高熱により体力を消もうし、特有の無気力な表情（チフス顔貌《がんぼう》）になります。重症化すると意識障害や難聴を起こします。どちらも症状や重症度は同じで、保菌者の糞便で汚染された食物や水から感染が広がります。治療には抗菌薬が使われます。

発疹チフスの病原体は、人から吸血するシラミを媒介とする「発疹チフスリケッチア」という細菌です。シラミの糞便に病原菌が存在し、刺された傷や引っかき傷につぶしたシラミ本体や糞便を刷り込むことで感染するのです。主に「人↓シラミ↓人」という感染サイクルで広がります。

潜伏期間は6～15日で、手足の痛みをともない突然発熱します。発熱から2～5日で発疹が出はじめ、5日目以降全身に広がります。発熱から約2週間で急速に熱が下がります。重症化すると約半数に幻覚、錯覚が現れ、治療を受けなかった場合の死亡率はおよそ10～40％です。ただし、一度発症して回復すると長期的な免疫ができるといいます。治療にはやはり抗菌薬が用いられ、予防策としては衣類を清潔にし、シラミの発生を防ぐことが有効です。

このように原因や症状が異なるにもかかわらず、腸チフスと発疹チフスがまったく別の病気であると認知されたのは1850年のことでした。イギリスの医師ウィリアム・ジェンナーが研究した結果、見分けたのです。1869年には、チフス菌とパラチフス菌が別種のものとわかっています。

英雄の大敗北の要因だった

チフスはヨーロッパの風土病と古くから考えられてきました。人類史の記録上、最初の感染症の流行とされ、紀元前430年に古代ギリシアで発生した「アテネの疫病」では、感染者が高熱を発したということから、発疹チフスまたは腸チフスであったとの説もあります。

発疹チフスは別名「監獄熱」「戦争熱」と呼ばれ、戦争や飢饉の最中によく発生しました。

1492年、スペイン王国がイベリア半島からイスラム勢力を追い出した際には、数千人のスペイン兵が発疹チフスで命を落としています。ほかにも、現在のドイツを主戦場として1618年から1648年にかけて行われた三十年戦争、1642年から1651年にかけてのイングランド内戦でも、発疹チフスが流行したことがわかっています。

そして、19世紀初頭のヨーロッパを席巻したフランス帝国のナポレオン1世によるロシア遠征が失敗したのも、発疹チフスが要因となったからでした。

ナポレオンは当時、敵対関係にあった連合王国（イギリス）を経済的に追いつめようと、いわゆる大陸封鎖令を出します。それでもイギリスと貿易を続けるロシア帝国の態度に業を煮やしたナポレオンは、1812年5月に40万人を超える大軍勢（随行者を入れると67万人超）を率い、ロシア領内へ侵攻します。

その進軍の最中、発疹チフスと赤痢が軍内で発生し、モスクワまで侵攻したころには、将兵は10万人ほどに減っていました。広大なロシア領内に深く引き込むロシア軍の作戦もあり、補給が滞って追いつめられたナポレオンは、同年10月に撤退を決断します。

帰途、ロシアの酷寒がフランス軍を襲います。将兵らは肌を寄せ合って寒さをしのごうとしたことで感染者からシラミが移り、栄養状態も悪かったことから発疹チフスが蔓延しました。12月にフランスへ帰国した際の兵数は、わずか2万人あまりだったといいます。

このロシア遠征が転機となり、ナポレオンの権勢は下降の一途をたどり、2年後に帝位を退くことになります。

強制収容所でも流行

発疹チフスはロシアの風土病であったらしく、1917年のロシア革命後もしばらく流行しており、国内で問題になっていました。

そのころ、革命を指導していたレーニンをして、「シラミが勝つか、社会主義が勝つか」とまで言わしめたほどです。

1909年、フランスの細菌学者でチュニスにあるパスツール研究所所長だったシャルル・ジュール・アンリ・ニコルが、シラミを介して発疹チフスに感染することをつきとめ、1928年にはノーベル生理学・医学賞を受賞します。なお、この発見は、1914年から始まった第一次世界大戦の西部戦線において発疹チフスの予防に役立てられました。

さらに、第二次世界大戦ではシラミ駆除剤として開発された殺虫剤のDDTが軍内で散布されています。

その大戦の最中、ナチスによって多くのユダヤ人が強制収容所に送られます。強制収容所の衛生環境は劣悪で、発疹チフスが流行し、多数のユダヤ人が犠牲となりました。その中の1人には、『アンネの日記』を書いたユダヤ人女性アンネ・フランクもいました。

下水道整備で感染者が激減

チフスはパリでも流行します。19世紀初頭以降、帝都パリの人口は急増していました。ところが、中世以来の街並みを残すパリに、それだけの人々が生活できるだけの十分な施設や設備はありませんでした。

そんなパリで1832年、コレラが大流行します。19世紀になり、屋内にくみ取り式のトイレが設置され始めていたものの手入れされず、コレラが発生しやすい環境だったのです。

人口急増と衛生環境の問題を受け、ナポレオンの甥にあたる皇帝ナポレオン3世は、セーヌ県知事のオスマンに、パリを近代的な都市につくり変えるよう命じました。こうして1850年代から1860年代にかけて、手狭になった街路の拡張などともに、公衆衛生の向上のために上下水道が整備されていきました。これをパリ改造といいます。

パリの下水道は、すでに都市改造を終えていたイギリスの王都ロンドンをお手本としましたが、依然としてトイレは水洗式ではなく、流入量の問題からくみ取り式は維持され、雨水と生活排水のほか、し尿（大便と小便）の液体部分だけが下水に流されていました。

不十分な衛生状態が続いた1880年、パリで大規模な悪臭が発生します。前年に降った大雪が融けて下水道に入り込んで、下水の流れをさまたげ、し尿や下水に流れ込んで腐敗したごみのにおいがあふれ出たと見られています。パリの下水道の勾配はゆるやかで、ごみが流れにくいといった構造的な欠陥もありました。

さらにこの年、パリで腸チフスが大流行します。それまでも、腸チフスで毎年1000人ほどが亡くなっていましたが、1880年には2120人、翌年もほぼ同数、1883年には3000人を超えるまでに死者数が増加します。

当時はまだ瘴気説が根強かったことから、大悪臭と腸チフスの流行は結びつけられ、悪臭をまき散らす原因である下水道が問題視されるようになります。

1885年以降、フランスでもチフス菌の存在が知られるようになると瘴気説は廃《すた》れていきますが、上下水道の整備・普及が死亡率の低下につながるとわかると、下水道の整備が進められ、1885年には833キロメートルだったものが、1900年には1113キロメートルまで延長されました。

1890年代半ばにはパリの上水道の普及と下水道網の構築が終わり、1894年には法律によって水洗トイレの設置と、すべてのし尿が下水道に流されるようになりました。こうして、腸チフスの流行は収まっていきました。

ポーランドが親日になったワケ

現在、日本企業が東ヨーロッパに位置するポーランドに熱い視線を送っています。ドイツやロシアといった国に隣接し、交通の便がよく、物流の拠点として最適だからです。平地が多く、工場建設にも向いています。そして、ヨーロッパきっての親日国という理由もあげられます。

ポーランドが親日国になったのは、1904~1905年にかけて行われた日露戦争で日本がロシアを破ったこともありますが、もう一つ、第一次世界大戦直後のあるできごとがあったからです。

第一次世界大戦末期、ポーランドはロシアからの独立を果たしましたが、シベリアには20万人とも30万人ともされるポーランド人の独立運動家とその家族が抑留されていました。大戦後、帰国を望んだ抑留者に対して、ロシア皇帝に代わって新たな支配層となった共産党はシベリア鉄道の使用を認めませんでした。

1919年、その状況を見かねたウラジオストクのポーランド人がポーランド救済委員会を設立し、各国に抑留者の救済を要請しますが、応えたのは日本だけでした。日本陸軍と日本赤十字社は現地へ赴き、765人のポーランド人の孤児を保護し、日本へ送ります。

孤児らは寒さと飢えに苦しんでいたうえ、多くが腸チフスに感染していました。そんな孤児を日本の医療従事者は手厚く治療・看護しました。その中の1人、日本赤十字社の看護師であった松澤フミは腸チフスに感染し、23歳で亡くなっています。

やがて孤児らは回復し、ポーランドへ帰っていきました。ポーランドの人々はこのときのことを忘れず、それが現代における日本とポーランドの交流にもつながっているのです。

ほかにも、日本人が発疹チフスで苦しむ外国人を助けた例があります。第二次世界大戦後、ソ連制圧下にあったドイツの町ヴリーツェンで発疹チフスが蔓延していました。現地にいた日本人医師の肥沼信次《こえぬまのぶつぐ》が患者の治療にあたりましたが、自身はチフスに倒れ、命を落とします。

この肥沼をきっかけとして2017年、肥沼の出身地である東京都八王子市とヴリーツェン市は友好交流都市となりました。

シラミ駆除で予防に成功

日本でいつからチフスが流行するようになったのかは判然としません。ただし、幕末期の長崎で腸チフスが、明治時代に発疹チフスが地方で流行したことはわかっています。

厚生省（現在の厚生労働省）の記録によると、発疹チフスの患者は1884年ごろから大幅に増えていき、1886年には8000人を超えますが、この年をピークとして流行は沈静化していきます。

そして、明治30年にあたる1897年に制定された「伝染病予防法」において、チフス（腸チフス・発疹チフス）の予防について規定されました。

次に発疹チフスが大流行したのは、第一次世界大戦が始まった1914年です。東日本を中心に7309人が発症し、1234人が亡くなりました。この流行後、東京府は消毒や駆虫の徹底、発生の疑いのある場所での調査や人々の健康調査、寝具や衣服の日光消毒を奨励しています。

さらなる流行は第二次世界大戦・太平洋戦争が終わった翌年にあたる1946年で、発症者は3万人を超えました。戦時中から徐々に感染者数は増えていました。戦争による栄養不足と衛生状態の悪化が要因です。

戦後はDDTが用いられるとともに、国内の復興が進み、人々の栄養状態が改善していったことから、感染者数は減っていきました。

DDTは発疹チフスの予防に目覚ましい効果を上げたことから、DDTを発見したスイスの化学者パウル・ヘルマン・ミュラーは、1948年にノーベル生理学・医学賞を受賞しています。

ただし、その後、DDTが食物連鎖によって生物の体内で濃縮されると人体に害をおよぼすことが判明したため、日本をはじめとする先進国の間では使用を制限するようになっていきました。

DDTを発見したミュラー
(Science/Source/amanaimages)。

世界的に見てみると第二次世界大戦以降、発疹チフスの大きな流行はなくなりました。シラミ駆除という予防措置が成功した結果といえます。とはいえ、発疹チフスが撲滅されたわけではなく、中南米やアジアの山岳地帯、アフリカの中央から東部で感染者が確認されています。

東アフリカのブルンジでは、1995年にンゴシ刑務所で、その2年後には内戦中の難民キャンプで2万人が感染しています。

2018年のWHOの発表によると、腸チフスだけでも毎年1100万~2000万人が感染し、12万8000~16万1000人が死亡していると推定されています。

日本でも、毎年20〜30例の発症が報告されていますが、流行地域から入ってきたケースがほとんどです。

今なお腸チフスは世界的に流行しており、主なエリアはアフリカや南北アメリカ、東南アジア、西大西洋です。

先進諸国では、抗生物質の普及や衛生環境の向上によって患者数は大きく減りましたが、インフラの整備が不十分な地域の人々にとっては、感染リスクは高いままなのです。

梅毒

―― syphilis ――

人の営みの一つである性交渉で感染するため、梅毒は全世界へと爆発的に流行していった。日本も例外でなかったが、日本人は梅毒を比較的楽観視しており、来日した外国人の目からすると、日本人の梅毒に対する価値観は特異に映っていた。

とはいえ、確実に生命をむしばむ不治の病であったため、つらい最期を迎えた人も少なくない。

江戸時代の日本は性病が蔓延

江戸時代中期を過ぎた1765年ころ。江戸谷中《やなか》の笠森稲荷《かさのもりいなり》の参道は参拝客で大いににぎわっていました。参道脇にあった茶屋の看板娘が目当てという人もいましたが、多くは笠森稲荷への瘡《かさ》毒平癒の祈願が目的でした。瘡毒とは、現代では性病として知られる梅毒のことです。

当時の日本では、梅毒の治療薬として「山帰来《さんきらい》」という漢方薬が主に用いられました。山帰来は、ケナシサルトリイバラという中国産のユリ科のつる性低木の根茎です。その名の由来は梅毒が重症化して山に捨てられた感染者がこの植物を服用したところ歩いてもどってきた、という言い伝えによります。

江戸時代の日本は、中国の清朝から漢方薬を輸入していて、その中で最も量が多かったのが、山帰来でした。1754年には、中国からのすべての輸入薬のうちの46％、およそ400トンの山帰来が日本に輸入されていました。これは、患者90万人の1カ月分に相当する量です。

また、日本初となる本格的な西洋医学の翻訳書『解体新書』の制作に携わった蘭方医の杉田玄白は、自身の患者の7～8割が梅毒患者であると回顧録『形影夜話《けいえいやわ》』に記しています。

これらのことからわかるように、かつて日本では梅毒が蔓延していたのです。

段階的に進行して死に至る

梅毒は、梅毒スピロヘータという細菌の一種である、梅毒トレポネーマによって発症し、口づけや性交などの肉体的接触、胎盤を介して母子感染します。

感染すると、潜伏期を挟んで段階的に症状が悪化していくのが特徴です。感染初期の第一期の症状はシコリや潰瘍《かいよう》が患部にできますが、痛みはなく、1カ月程度で症状は改善します。ただし、これは潜伏期間であり、この間に菌が体内で繁殖します。

そして数カ月後、全身に桃色の発疹（瘡）が現れるとともに、頭髪が抜け落ち、口中や内臓に炎症ができます。これが第二期にあたります。この発疹も数週間で治り、再び潜伏期に入ります。

感染してからおよそ3年後、第三期になると、皮ふや内臓、骨などにゴムのような腫瘍ができ、組織を破壊します。とくに鼻の骨は壊れやすく、崩れたり陥没したりします。症状がさらに進行すると、脳や神経にも梅毒が入り込み、失明や認知症、幻覚や妄想を起こすようになり、やがて死に至るのです。

第一期から第二期にかけてが他者に感染しやすいといわれ、母子感染では流産や死産、新生児の死亡率や先天性異常の割合を高めます。

現代において、死産の原因の第2位である感染症は梅毒とされますが、成人が梅毒で死亡する事例はまれとなっています。なぜなら、ペニシリンなどの抗生物質による治療法があり、早期に服用すれば1～2カ月で完治することも可能だからです。

起源はアメリカ？ ヨーロッパ？

大航海時代に突入して間もない1492年、スペイン王国が派遣した航海者コロンブスが現在の西インド諸島に到達します。このコロンブス一行が帰国する際、梅毒をスペインに持ち帰ったと考えられています。というのも、コロンブスが帰国して間も

梅毒の起源と感染ルート

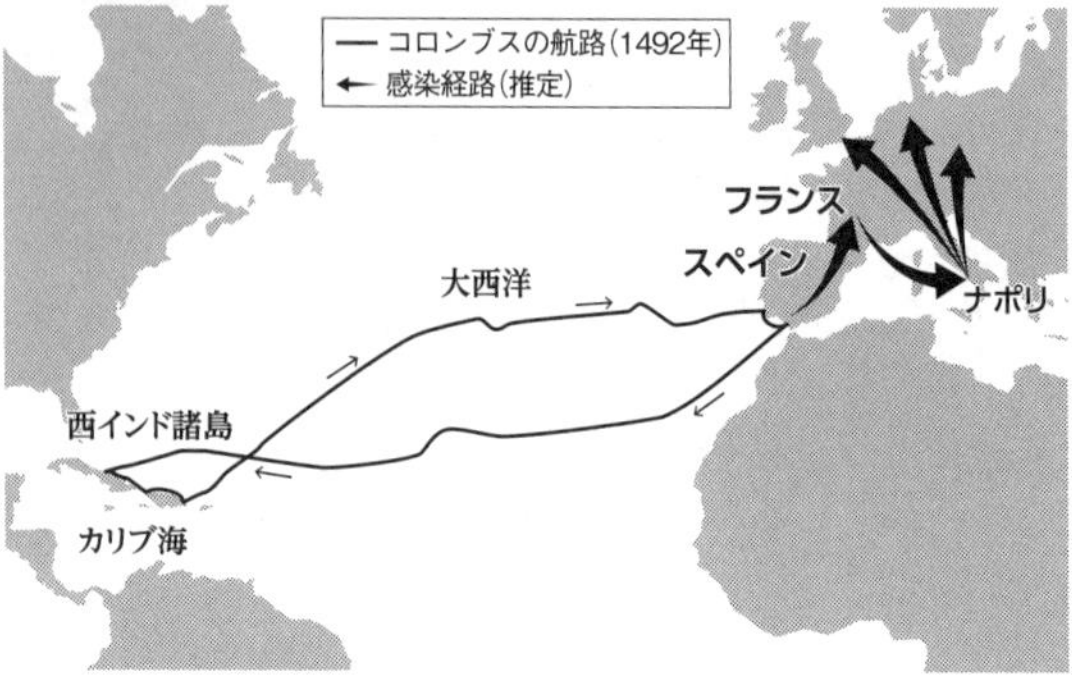

西インド諸島が起源か、ユーラシア大陸が起源かはわかっていない。

なく、スペイン国内に梅毒が流行したからです。そのため、梅毒の起源はアメリカ大陸であるという説が有力とされています。一方で、この「アメリカ大陸起源説」とは別に、コロンブスの大陸到達以前からヨーロッパに存在していたという「古代（太古）存在説」もあります。ユーラシア大陸にもともと存在した非性病型の皮ふ感染症イチゴ腫《しゅ》（フランベジア）が梅毒に変異し、1494年の大流行を招いたというのです。そうすると、ヨーロッパからアメリカ大陸に持ち込まれたことになります。

この説は、梅毒に母子感染したと見られる14世紀の人骨が、近年オーストリアで発見されたことから提唱されるようになりました。

今後、より決定的な物証が見つかれば、太古存在説が定説となるかもしれません。

1494年、フランス国王シャルル8世がイタリア半島南部へ侵攻(イタリア戦争)すると、ナポリ王国で梅毒が猛威を振るいました。フランス軍、ナポリ軍ともに、スペイン人を傭兵として雇っていたのが原因と考えられています。当時の軍隊は主に混成軍で、フランス軍にはスペイン兵のほか、イングランドやスイス、ネーデルラント(現在のオランダ)、ハンガリー、ポーランドといった各国の傭兵が参加していました。軍に戦場売春婦がいたことも感染拡大につながります。さらに、フランス軍がナポリの修道院を襲撃して蛮行を働いたことをきっかけに、ナポリ市中の一般市民にも梅毒が広がりました。

このときはまだ明確な病名がなかったこともあって、ナポリ人は梅毒のことをフランス人が持ち込んだとして「フランス病」と呼び、一方のフランス人はナポリで感染したとして「ナポリ病」と呼び、たがいにののしり合います。

ちなみに、これ以外にも梅毒を忌み嫌った当時の人々は、梅毒に他国の名を冠することで、その国こそが流行源だとしています。たとえば、ドイツでは「ポーランド病」、イギリスでは「フランス病」「スペインの瘡《とう》」といった具合です。当時の日本では「琉球瘡」「唐瘡《とうそう》」と呼び、琉球王国では「南蛮瘡」などと呼んでいました。

現在の梅毒の英語での呼称である「syphilis」は、ルネサンス期におけるイタリア人の医師フラカストロの著作物に登場する主人公の名前に由来します。主人公が神の怒りにふれ、梅毒にかかってしまうという内容です。そして日本の梅毒という呼称は、第二期に全身に現れる桃色の発疹が、楊梅《ようばい》（やまもも）の果実に似ていることから「楊梅瘡」と名づけられ、その呼称が変化して梅毒という名称が定着したのです。

さて、やがてフランスと交戦中のナポリ軍に援軍が合流すると、劣勢となったフランス軍は撤退を余儀なくされます。フランス軍は散りぢりとなり、梅毒に罹患した各国の傭兵がそれぞれ帰国し、ヨーロッパ一帯に大流行をもたらしました。シャルル8世自身も梅毒にかかったといいます。

豪商に富をもたらした偽薬

細菌の感染が原因である梅毒の治癒法には、20世紀初期の抗生物質の発見まで待たなければなりませんでした。それまでは、生薬などによる対症療法、もしくは神頼みしかなかったのです。

近代以前の梅毒の治療法としては、水銀が広く用いられていました。この水銀療法は、水銀を蒸気化して体内に吸い込んだり、軟膏として患部に塗り込んだりする方法です。しかし、水銀は毒性が強く、中毒化して患者をさらに苦しめます。

ほかにも、16世紀のヨーロッパでは、アメリカ大陸から輸入された癒瘡木《ゆそうぼく》（グァヤック樹）のエキスが薬として使われていました。癒瘡木の輸入で財を成したのが、南ドイツの財閥フッガー家でした。癒瘡木の原産地が、梅毒の起源と考えられていたアメリカ大陸と同じであり、「薬効がある」とのうたい文句で売り出したのです。

水銀療法の副作用に悩んでいた梅毒患者は、この薬を買い求めました。

もともと貿易や金融業で財を成したフッガー家は、癒瘡木による利益でますます富みます。時のローマ教皇や神聖ローマ皇帝を輩出していたハプスブルク家に融資を行い、代わりに銀鉱山の経営権を獲得して当時のヨーロッパで最大の富豪となりました。その最盛期はフッガー時代とも呼ばれたほどです。ハプスブルク家の全盛時代、ヨーロッパ最大権力者であった神聖ローマ皇帝カール5世の後ろ盾となったフッガー家は、梅毒薬でのし上がったといえるかもしれません。

ただし、癒瘡木のエキスは梅毒に対する効能はありませんでした。そして、梅毒のアメリカ大陸起源説が定説となったのは、この薬の宣伝のために、フッガー家がこの説を猛烈に推したことで一般に知れわたったことが一因といえます。

同じ16世紀、フランス人のジャック・ド・ベタンクールが、性行為によって感染する感染症を「性病」と呼称することを提唱しています。また一説に、梅毒を予防する目的で、16世紀に初めてコンドームがつくられたともいわれています。製作者はイタリアの解剖学者ガブリエル・フェロピオで、自身の著作の中で布製の器具(コンドーム)を製作したと述べているからです。

性病に翻弄された遊女

貿易が盛んになると、梅毒はアジアにも広がっていきます。ポルトガル王国が派遣した航海者ヴァスコ・ダ・ガマが、インド西南部の港町カリカット(現在のコジコーデ)に到達し、インド航路が開拓されたことがきっかけです。

新たに開かれたこの航路によって、梅毒はヨーロッパからインド、東南アジア、中

ヨーロッパからアジアに拡大した梅毒

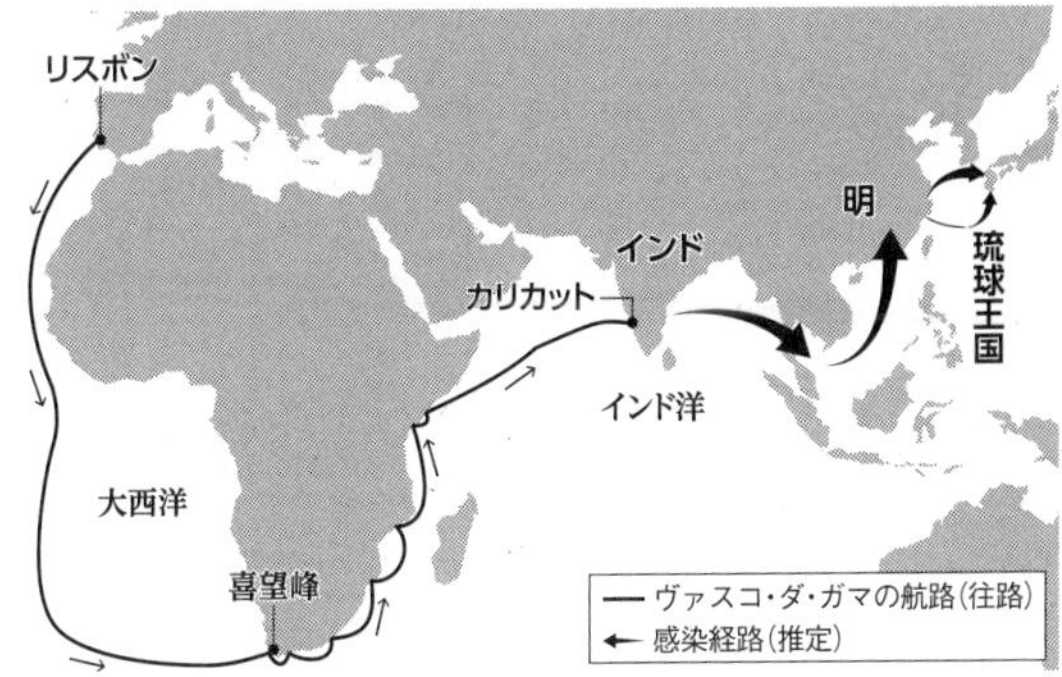

交易ルートを求めてヴァスコ・ダ・ガマが到達したインドを経由し、アジアに梅毒がもたらされることになった。

国大陸へと交易を通じて東へと広がり、日本にも室町時代に伝わったといいます。中国大陸の沿海部などを荒らし回っていた海賊集団の倭寇が持ち込んだ、もしくは博多や堺の商人、琉球王国を経由して中国の明朝から持ち込まれたともいわれます。

江戸時代になると、日本で梅毒が大流行します。とくに、不特定多数を相手に肉体的に接触する機会が多い遊郭は梅毒の温床となりました。

第二期の梅毒を発症した遊女は、一定期間寝込みます。この状態を遊郭では「鳥屋《とや》につく」といいました。部屋で療養し、髪が抜ける遊女の姿が夏毛から冬毛に生え替わる際の鷹に似ていることに由来します。

そのうち第二期を終えて潜伏期間に入ると、廓主は「梅毒にかかりにくくなって妊娠しにくい体質となった」と鳥屋から廓へ移る遊女に対し、より高額の値をつけたといいます。当然、完治しておらず、免疫も獲得していません。

吉原のごく一部の高級遊女は花魁《おいらん》となったのちに見初められて身請けされるか、27～28歳で自由の身になれました。しかし多くの遊女は、性病や堕胎といった肉体への負荷に苦しみ、若くして亡くなりました。梅毒が進行した遊女は遊郭から放逐されたのち、狭い部屋で安い値段で客を取らされました。

やがて死去すると、引き取り手のない遊女の亡骸は、浄閑寺《じょうかんじ》（荒川区南千住）に無縁仏として供養されました。吉原遊女の平均寿命は21～23歳だったといいます。

生きては苦界　死しては浄閑寺

という、吉原の遊女たちの儚《はかな》い生涯を詠んだ川柳が残っています。

遊女の生涯を通して見ると、梅毒は忌み嫌われていたと思うかもしれません。ところが当時の日本人は、梅毒にかかっても比較的楽観視していました。

室町時代末期に来日したポルトガル人の宣教師ルイス・フロイスは梅毒について「日本では、男女ともそれを普通のこととし、恥じることがない」という記録を残しています。1823年に来日したドイツの医師シーボルトは「日本で深く根を下ろした病気」と梅毒を評しています。

古いことわざとして「皮《ひ》癬《せん》七《なな》度《たび》梅毒《かさ》三《さん》度《ど》」があります。男は皮ふ病の一種である疥《かい》癬《せん》や梅毒にかかることで一人前と認められる、という意味です。当時は梅毒に感染しても隠そうとせず、それどころか遊び人の勲章ととらえ、進行さえも笑い飛ばしたのです。「どら息子親の目を盗んで鼻が落ち」「かさっかき俺が手本と異見する」などという川柳も詠まれていました。

美しさの価値観の変化

15世紀前後のルネサンス期におけるイタリアやフランスにおいては、梅毒によるあばたが、美男美女の条件の一つとして認識されることもありました。

しかし近代になると、一転して梅毒は忌避されるようになります。背中を大きく開いたイブニングドレスは、背中に梅毒の発疹がないことを示すために考えられたという説もあるくらいです。梅毒による円形脱毛症を隠すためにカツラが使われたともいわれています。

また、不治の病である梅毒は、多くの文化人に影響を与えています。

「歌曲の王」と呼ばれるオーストリアの作曲家シューベルトは、梅毒もしくはその治療のために使った水銀中毒が原因で亡くなったと考えられています。連作交響詩『わが祖国・モルダウ』で知られるチェコの作曲家スメタナも、司法解剖記録と遺体の筋肉組織の調査から梅毒が死因であると判明しています。

ドイツの哲学者ニーチェは、晩年に脳梅毒に侵されて狂気に陥り、精神科病院で生涯を閉じました。

小説家の芥川龍之介も中国への旅行中に梅毒に感染したという説があり、梅毒に感染した娼婦を描いた短編小説『南京の基督《きりすと》』の登場人物である日本人旅行者は、芥川自身がモデルとも考えられています。

外国人のために始まった検疫

幕末期の1858年、安政の五カ国条約が結ばれて開国した日本に、外国人が入ってくるようになりました。その際、外国人が懸念したことの一つが、遊女を相手にして梅毒に感染することでした。

1860年、ロシア帝国の軍艦が修理のため、長崎に入港することになりました。その際、船員が梅毒に感染することを恐れた艦長は、遊女の梅毒検査を長崎奉行所に願い出ます。この要望に対して幕府は、オランダ人の医師ポンペと蘭方医の松本良順《りょうじゅん》のもと梅毒検査を実施させました。

さらに、条約にもとづいて開港場に外国人居留地がつくられると、外国人相手の妓楼もつくられました。この妓楼の遊女についてイギリス人の医師ウィリスは「横浜には、約1000人の遊女がいて、その3分の1が25歳の年季明けまでに梅毒などで亡くなる。江戸では遊女の10%が梅毒に感染しているが、横浜の感染率は2倍を上回る。全国には多くの売春窟があり、都市部では30歳の男の3分の1が感染している」と見解を述べています。

梅毒の検疫を行った松本良順。のちに帝国陸軍の初代軍医総監となる（長崎大学附属図書館所蔵／共同通信イメージズ）。

横浜に駐留しているイギリス軍内で性病

が広がりはじめたことから、イギリス公使のパークスは幕府に梅毒予防を嘆願します。本国イギリスでは、1864年に性病予防を目的とした「伝染病予防法」が制定されており、世界中に展開するイギリス兵を相手にする娼婦には梅毒検査が強制的に行われていたからです。

1868年、神奈川奉行所は横浜の遊女を週に1回診察するようになります。感染が判明すると、設置した梅毒の専門病院に強制入院させました。これが、日本初となる「検梅《けんばい》制度」のはじまりです。

ただし、この制度は不平等条約のもと外国人の保護を目的としていて、感染が判明すれば監禁するなど、日本人の人権は配慮されていませんでした。

それでも検梅制度は効果が見られ、1867年以前は80%だった横浜の遊女の梅毒感染率は、検梅開始後の1868年には51%、翌年には36%まで減少しました。

こうした実績から、1874年に東京、1876年に京都、1879年に大阪と、大都市に梅毒の専門病院が次々と設立されました。

対策は病院の設置にとどまらず、梅毒の最大の感染源である遊郭の取り締まりにおよびます。1900年、政府は「娼妓《しょうぎ》取締規則」を制定し、遊女の警察直轄の性病院での検梅を義務化します。1927年にはそれに代わる「花柳病予防法」が制定されます。

しかし、以降も日本では梅毒患者は増加傾向にあり、第二次世界大戦前には国民病となっていました。人口増強策を推し進めていた日本政府は、軍事力の弱体化につながる梅毒を問題視し、梅毒検査を実施するようになります。梅毒の母子感染を減らすことは、出生率の増加、ひいては人口の増加につながるからです。

戦後の1948年には婚姻時に性病非感染証明の交換が明記された「性病予防法」となり、1958年に「売春防止法」の実施によって政府が管轄していた公娼制度は廃止され、同時に検梅制度も廃止されました。

日本人も関わった世界初の合成剤

世界の話にもどります。18世紀後半になると、同じく性感染症である淋病との違いや、梅毒が徐々に進行していく病気であることが科学的に証明されていきました。細菌学者のパスツールが登場すると、感染症についての研究が進み、1905年には梅

サンバルサンを開発した秦佐八郎＜写真右＞とエールリッヒ＜写真左＞（Science Photo Library/アフロ）。

毒スピロヘータ菌が発見されます。

　それから5年経った1910年、ラテン語で「救う」という意味の治療薬「サルバルサン」が、ドイツ人の医学者エールリッヒと日本人医学者の秦《はた》佐《さ》八郎《はちろう》により開発されました。人の細胞を壊さずに梅毒スピロヘータ菌を駆除できる、化学的に合成された世界初の薬剤です。これにより、梅毒は不治の病ではなくなりました。この功績によって秦は、ノーベル生理学・医学賞の候補になっています。ただし、サルバルサンは猛毒のヒ素を原料としており副作用が強いのが難点でした。

　1913年には、日本人医学者の野口英世が、梅毒の進行によって脳や神経が破壊されて精神障害が起こることをつきとめ、ノーベル賞候補に選ばれています。

　1917年、オーストリアの医師ヤウレックは、マラリアによる発熱が神経まで進行した梅毒にある程度効くことをつきとめると、神経梅毒患者を意図的にマラリアに感染させる「発熱療法」を開発しました。発熱療法により梅毒患者の半数はある程度回復したといいます。この治療法により、ヤウレックは1927年にノーベル生理学・医学賞を受賞しました。しかし、マラリアによって15%が死亡したため、発熱療法は使われなくなっていきました。

1928年にイギリスの細菌学者アレクサンダー・フレミングによってペニシリンが発見されると、1943年にアメリカの医学者であるマホネー、アーノルド、ハリスの三者が、ペニシリンを使った梅毒の治療法を確立します。1945年にアメリカのギャングで暗黒街のボスとしてかつて君臨したアル・カポネが民間人として初めてペニシリンが投与されましたが、梅毒の症状が進みすぎていたため効果がなく、2年後に死去しています。

ペニシリンを用いた治療法によって、第二次世界大戦後の梅毒患者は減少していき、それとともに、サルバルサンは使われなくなっていきました。

その後、梅毒は世界的に流行をくり返しました。日本では1960年代半ばに流行して以降、梅毒感染者は減少傾向にありましたが、2014年ごろから、20代の若い男女の感染者が増加しつつあります。

おわりに

私見でありますが、この度の新型コロナウイルス感染症が、まさに世界史を大きく転換させる可能性を秘めていることは間違いないと思われます。

第一に、「コロナテック」と象徴的に呼称されるような経済・社会のデジタル化の進展。第二に、コロナ危機が始まる以前から始まっていたアメリカ・中国の覇権争いが駆動する国際秩序の一層の流動化。このような大きな変化が起こりつつある中で、私たちが将来を見通すための一つの手立ては、歴史を振り返りつつ長期的な視野を持つことではないかと考えます。

本書は、限られた時間の制約の中で編まれたものですが、重要かつ興味深いと考えた数々のエピソードをつづりつつ、人類が感染症とどのように関わってきたのかを明らかにしようとした試みにほかなりません。逆説的ですが、歴史から学ぶことは未来を映す鏡のような役割を果たし得るものと信じています。

大阪経済法科大学経済学部教授　脇村孝平

主要参考文献

〈ｐａｒｔ１ 人類と感染症〉
『疫病と世界史（上・下）』ウィリアム・Ｈ・マクニール著、佐々木昭夫訳（中公文庫）／『感染症と文明』山本太郎（岩波書店）／『感染症 広がり方と防ぎ方』井上栄（中公新書）／『医学の歴史』ルチャーノ・ステルペローネ著、小川煕訳（原書房）／『医学が歩んだ道』フランク・ゴンザレス・クルッシ著、堤理華訳（ランダムハウス講談社）

〈ｐａｒｔ２ 人類史に影響を与えた10の感染症〉
〈ペスト〉『人口と健康の世界史』秋田茂・脇村孝平編（ミネルヴァ書房）／『黒死病 ペストの中世史』ジョン・ケリー著、野中邦子訳（中央公論新社）／『ペストと近代中国』飯島渉（研文出版）／『衛生と近代 ペスト流行にみる東アジアの統治・医療・社会』永島剛・市川智生・飯島渉編（法政大学出版局）／『ペストと都市国家 ルネサンスの公衆衛生と医師』カルロ・Ｍ・チポラ著、日野秀逸訳（平凡社）／『ネズミ・シラミ・文明 伝染病の歴史的伝記』ハンス・ジンサー著／橋本雅一訳（みすず書房）／『ペスト大流行 ヨーロッパ中世の崩壊』村上陽一郎（岩波新書）／『疫病と世界史（上・下）』ウィリアム・Ｈ・マクニール著、佐々木昭夫訳（中公文庫）／『感染症の世界史』石弘之（角川ソフィア文庫）／『中世ヨーロッパ生活誌 LE MOYEN AGE』ロベール・ドロール著、桐村泰次訳（論創社）／『感染症は世界史を動かす』岡田晴恵（ちくま新書）／『世界の歴史10 西ヨーロッパ世界の形成』佐藤彰一・池上俊一（中央公論社）／『世界の歴史16 ルネサンスと地中海』樺山紘一（中央公論社）／『ヨーロッパII 中世』ノーマン・デイヴィス著、別宮貞徳訳（共同通信社）〈インフルエンザ〉『飢饉・疫病・植民地統治 開発の中の英領インド』脇村孝平（名古屋大学出版会）／『史上最悪のインフルエンザ 忘れられたパンデミック』アルフレッド・Ｗ・クロスビー著、西村秀一訳（みすず書房）／『日本を襲ったスペイン・インフルエンザ 人類とウイルスの第一次世界戦争』速水融（藤原書店）／『疫病と世界史（上・下）』ウィリアム・Ｈ・マクニール著、佐々木昭夫訳（中公文庫）／『感染症の世界史』石弘之（角川ソフィア文庫）／『世界史を変えたパンデミック』小長谷正明（幻冬舎新書）／『ビジュアル パンデミック・マップ 伝染病の起源・拡大・

根絶の歴史』サンドラ・ヘンペル著、竹田誠・竹田美文翻訳監修（日経ナショナルジオグラフィック社）〈コレラ〉『人口と健康の世界史』秋田茂・脇村孝平編（ミネルヴァ書房）／脇村孝平「東アジアの疫病・衛生史の一断面－検疫制度と国際関係（19世紀後半と戦間期）」和田春樹ほか編『アジア研究の来歴と展望』（岩波講座　東アジア近現代通史別巻、岩波書店）／脇村孝平「国際保健の誕生－19世紀におけるコレラ・パンデミックと検疫問題」遠藤乾編『グローバル・ガバナンスの最前線－現在と過去のあいだ』遠藤乾編（東信堂）／『コレラの世界史』見市雅俊（晶文社）／『続・人類と感染症の歴史　新たな恐怖に備える』加藤茂孝（丸善出版）／『感染症の世界史』石弘之（角川ソフィア文庫）／『世界史を変えたパンデミック』小長谷正明（幻冬舎新書）『ビジュアル　パンデミック・マップ　伝染病の起源・拡大・根絶の歴史』サンドラ・ヘンペル著、竹田誠・竹田美文翻訳監修（日経ナショナルジオグラフィック社）／『日本疾病史』酒井シヅ編（放送大学教育振興会）〈マラリア〉『飢饉・疫病・植民地統治　開発の中の英領インド』脇村孝平（名古屋大学出版会）／『人口と健康の世界史』秋田茂・脇村孝平編（ミネルヴァ書房）／『疾病・開発・帝国医療－アジアにおける病気と医療の歴史学』見市雅俊・斎藤修・脇村孝平・飯島渉編（東京大学出版会）／『人類五〇万年の闘い　マラリア全史』ソニア・シャー著、夏野徹也訳（太田出版）／『世界史の中のマラリア－微生物学者の視点から』橋本雅一（藤原書店）／『感染症の世界史』石弘之（角川ソフィア文庫）『感染症と文明－共生への道』山本太郎（岩波新書）／『続・人類と感染症の歴史　新たな恐怖に備える』加藤茂孝（丸善出版）／『ビジュアル　パンデミック・マップ　伝染病の起源・拡大・根絶の歴史』サンドラ・ヘンペル著、竹田誠・竹田美文翻訳監修（日経ナショナルジオグラフィック社）／『種痘伝来－日本の〈開国〉と知の国際ネットワーク』アン・ジャネッタ著／廣川和花他訳（岩波書店）／『マラリアと帝国』飯島渉（東京大学出版会）〈赤痢〉『ビジュアル　パンデミック・マップ　伝染病の起源・拡大・根絶の歴史』サンドラ・ヘンペル著、竹田誠・竹田美文翻訳監修（日経ナショナルジオグラフィック社）／『細菌と人類　終わりなき攻防の歴史』ウィリー・ハンセンほか著、渡辺格訳（中公文庫）／『感染地図　歴史を変えた未知の病原体』スティーヴン・ジョンソン著、矢野真千子訳（河出文庫）〈結核〉『人口と健康の世界史』秋田茂・脇村孝平編（ミネルヴァ書房）／『日本近代文学の起源』柄谷行人（講談社文芸文庫）／『日本医療史』新村拓（吉川弘文館）／『幕末から平成まで　病気の日本近代史』秦郁彦（文藝春秋）／『結核という文化　病の比較文化史』福田眞人（中央公論社）／『サナトリウム残影　結核の百年と日本人』高三啓輔（日本評論社）／『隠喩としての病い』スーザン・ソンタグ著、富山太佳夫訳（みすず書房）／『ビジュアル パンデミック・マップ 伝染病の起源・拡大・根絶の歴史』サンドラ・ヘンペル著、竹田誠・竹田美文翻訳監修（日経ナショナルジオグラフィック社）〈天然痘〉『銀の世界史』祝田秀全（ちくま新書）／『世界史を変えた13の病』ジェニファー・ライト著、鈴木涼子訳（原書房）／『銃・病原菌・鉄（上・下）』ジャレド・ダイアモンド著、倉骨彰訳（草思社）／『世界の歴史18 ラテンアメリカ文明の興亡』高橋均・網野徹哉（中央公論社）／『医学の歴史』ルチャーノ・ステルペローネ著、小川煕訳（原書房）／『医学が歩んだ道』フランク・ゴンザレス・クルッシ著、堤理華訳（ランダムハウス講談社）／『疫病と世界史（上・下）』ウィリアム・H・マクニール著、佐々木昭夫訳（中公文庫）／『ヨーロッパの帝国主義 生態学的視点から歴史を見る』アルフレッド・W・クロスビー著、佐々木昭夫訳（筑摩書房）〈黄熱〉『黄熱の歴史 熱帯医学の誕生』フランソワ・ドラポルト著、池田和彦訳（みすず書房）／『野口英世 波乱の生涯』星亮一（三修社）／『ウイルスの脅威 人類の長い戦い』マイケル・B・A・オールドストーン著、二宮陸雄訳（岩波書店）／『アメリカの歴史4 アメリカ社会と第一次世界大戦』メアリー・ベス・ノートンほか著、上杉忍ほか訳／本田創造監修（三省堂）／『人体実験の哲学「卑しい体」がつくる医学、技術、権力の歴史』グレゴワール・シャマユー著、加納由起子訳（明石書店）／『パナマ地峡秘史』デイヴィッド・ハワース著、塩野崎宏訳（リブロポート）〈チフス〉『ビジュアル パンデミック・マップ 伝染病の起源・拡大・根絶の歴史』サンドラ・ヘンペル著、竹田誠・竹田美文翻訳監修（日経ナショナルジオグラフィック社）／『細菌と人類 終わりなき攻防の歴史』ウィリー・ハンセンほか著、渡辺格訳（中公文庫）／『感染地図 歴史を変えた未知の病原体』スティーヴン・ジョンソン著、矢野真千子訳（河出文庫）／『ネズミ・シラミ・文明 伝染病の歴史的伝記』ハンス・ジンサー著、橋本雅一訳（みすず書房）／渡部幹夫（2002）〝大正三年、東京における発疹チフスの大流行について〟日本医史学雑誌、第48巻、第4号／大森弘喜（2012）〝19世紀パリの水まわり事情と衛生（続・完）〟成城大学経済研究、第197号〈梅毒〉『人口と健康の世界史』秋田茂・脇村孝平編（ミネルヴァ書房）／『梅毒の歴史』クロード・ケテル著、寺田光徳訳（藤原書店）／『江戸の性病 梅毒流行事情』苅谷春郎（三一書房）

そのほか、厚生労働省や国立感染症研究所といった各機関のホームページを参考にしています。

本書は書き下ろしです。

日経ビジネス人文庫

10の「感染症《かんせんしょう》」からよむ世界史《せかいし》

2020年12月1日 第1版発行

監修者
脇村孝平
わきむら・こうへい

編著者
造事務所
ぞう・じむしょ

発行者
白石 賢

発行
日経BP
日本経済新聞出版本部

発売
日経BPマーケティング
〒105-8308 東京都港区虎ノ門4-3-12

ブックデザイン
鈴木成一デザイン室

印刷・製本
中央精版印刷

Printed in Japan ISBN978-4-532-19993-7

nbb 好評既刊

30の発明からよむ世界史
池内 了＝監修
造事務所＝編著
酒、文字、車輪、飛行機、半導体……私たちの身の回りのものにはすべて歴史がある。原始から現代までを30のモノでたどる面白世界史。

30の発明からよむ日本史
池内 了＝監修
造事務所＝編著
日本は創造と工夫の国だった！ 縄文土器、畳、醤油から、カラオケ、胃カメラ、青色発光ダイオードまで、30のモノとコトでたどる面白日本史。

30の都市からよむ世界史
神野正史＝監修
造事務所＝編著
「世界の中心」はなぜ変わっていったのか？ バビロンからニューヨークまで古今東西30の都市を「栄えた年代順」にたどる面白世界史。

30の「王」からよむ世界史
本村凌二＝監修
造事務所＝編著
復讐の連鎖をやめさせたハンムラビ王から悲運の君主ニコライ2世まで、世界史を読み解く上で外せない30人の生き様や功績を紹介。

ライバル国からよむ世界史
関 眞興
隣国同士はなぜ仲が悪いのか。中東紛争からロシアのウクライナ侵攻、日韓関係まで、代表的な20の事象から世界情勢をやさしく紐解く。